DEMAIN, JE PARLE GLOBISH

Les Éditions Transcontinental
1100, boul. René-Lévesque Ouest, 24ᵉ étage
Montréal (Québec) H3B 4X9
Tél.:   (514) 392-9000
         1 800 361-5479
www.livres.transcontinental.ca

Pour connaître nos autres titres, tapez **www.livres.transcontinental.ca.** Vous voulez bénéficier de
nos tarifs spéciaux s'appliquant aux bibliothèques d'entreprise ou aux achats en gros? Informez-vous au
1 866 800-2500.

Distribution au Canada
Les Messageries ADP
2315, rue de la Province, Longueuil (Québec) J4G 1G4
Tél.: (450) 640-1234 ou 1 800 771-3022
adpcommercial@sogides.com

Catalogage avant publication (Canada)

Nerrière, Jean-Paul
Demain, je parle globish : guide pratique de l'anglais de base en 26 étapes
Adaptation de: *Découvrez le globish.*

ISBN 2-89472-286-9

1. Anglais (Langue) - Manuels pour francophones. 2. Anglais (Langue) - Vocabulaire de base.
3. Anglais (Langue) - Prononciation. I. Dufresne, Philippe, 1942-   . II. Bourgon, Jacques. III. Titre.

PE1129.F7N47 2005   428.2'441   C2005-941572-X

Correction: Diane Grégoire
Conception graphique de la couverture: Studio Andrée Robillard
Mise en page: Nathalie Bernick

L'édition originale de cet ouvrage a été publiée en France par les Éditions d'Organisation sous le titre
Découvrez le globish. © Éditions d'Organisation

Imprimé au Canada
© Les Éditions Transcontinental, 2005
Dépôt légal – 3ᵉ trimestre 2005
Bibliothèque nationale du Québec
Bibliothèque nationale du Canada
ISBN 2-89472-286-9

Nous reconnaissons, pour nos activités d'édition, l'aide financière du gouvernement du Canada, par
l'entremise du Programme d'aide au développement de l'industrie de l'édition (PADIÉ), ainsi que
celle du gouvernement du Québec (SODEC), par l'entremise du programme Aide à la promotion.

JEAN-PAUL NERRIÈRE
PHILIPPE DUFRESNE
JACQUES BOURGON

DEMAIN, JE PARLÉ GLOBISH

Les Éditions
Transcontinental

À la pucelle de Domrémy et d'Orléans,
sans laquelle le globish n'aurait pas vu le jour.

Table des matières

Prologue

Le *globish* – mot amusant signifiant *global english,* mais affaire sérieuse cependant – est un outil de communication globale, qui a pour but l'*efficacité.* « *Efficiency before accuracy !* », comme il se dit en angloricain. Celui qui ne pratique pas l'une des versions de cette dernière langue, mais plutôt le *globish,* pourra, partout sur la surface du globe, obtenir plus vite ce qu'il souhaite.

Vous avez bien compris : c'est un *outil,* dont on apprend rapidement à se servir, ou que l'on connaît déjà grosso modo, et en général de façon médiocre ! C'est une forme d'anglais tactiquement allégée, riche de seulement 1 500 mots, à prononcer de manière compréhensible, sans rêver d'imiter à la perfection les Anglais ni les Américains.

Le globish ne veut en aucune façon être assimilé à une langue : une langue, c'est le vecteur d'un patrimoine, l'ADN d'une culture. Le globish, lui, libère, décomplexe ; on l'emploie sans ressentir de frustration. Sur notre planète, 88 % de nos congénères ne sont pas nés dans des sphères où le parler angloricain est officiel. Quand tous pratiqueront le globish, ils auront enfin la position que méritent leurs talents face aux natifs de la langue impériale, et ils pourront exiger d'eux qu'ils s'éloignent de leur *English* habituel pour « globisher » clairement.

Pour apprendre le globish, vous allez trouver ici des concepts inattendus, et des points qui ne sont enseignés nulle part dans les formations traditionnelles. Ils ne visent en aucun cas à faire de vous un « bilingue ». Notre ambition est de vous amener au niveau requis par le globish : un niveau tout à fait suffisant pour échanger, comme femme ou homme d'affaires et comme touriste, dans n'importe quel pays du monde. Vous serez alors « ambilingue », également efficace dans cet environnement étranger et en français. L'objectif que nous nous proposons d'atteindre se résume au « seuil de compréhension » indispensable. Si vous voulez approfondir votre maîtrise de l'anglais, et parler comme un Texan, vous pouvez naturellement commencer avec nous par cet ouvrage. Mais il vous faudra impérativement poursuivre avec des maîtres et des méthodes moins révolutionnaires : la modestie de notre ambition autorise des raccourcis, des combinaisons, des arrondis qu'interdirait la poursuite d'un anglais parfaitement conforme. Mais cela est bien suffisant pour celui qui cherche un outil simple en vue d'une communication performante.

Cependant, retenez que quand votre prononciation en globish sera convenable, vous saurez également prononcer l'anglais comme dans sa version authentique.

Le gouvernement du Québec estime qu'en classe d'immersion, le français s'apprend en 1 200 heures intensives. Notre élève du secondaire bénéficie de 700 heures de cours d'anglais. Vous imaginez les insuffisances dans les études supérieures... Pourtant, l'anglais est une langue bien plus simple que la nôtre. Le globish, sa variante expurgée à dessein pour former le dialecte planétaire du troisième millénaire, s'acquiert en 182 heures d'études faites avec application : il suffit de suivre les 26 étapes développées dans ce livre, 60 minutes par jour pendant 6 mois. La même étape sera étudiée pendant une semaine jusqu'à maîtriser et savoir reproduire idéalement les exemples fournis, avec la plume, avec le clavier et avec la voix. L'oreille et la compréhension auront suivi. Le tout en développant et en faisant un usage pragmatique du vocabulaire de 1 500 mots, et en le complétant avec les consignes de mise en œuvre expliquées dans l'ouvrage *Don't speak English, parlez globish*. Chacune de nos étapes traite de prononciation, puis étudie la construction des mots et des phrases : vous progresserez en parallèle dans ces deux domaines, nouveaux pour vous ou que vous revisiterez avec bonheur à la suite d'anciennes difficultés scolaires.

La régularité est la base du succès. Quel que soit votre niveau de départ, le procédé vous conduira au but si vous vous y attachez sans prendre de vacances entre deux journées de travail.

Ce livre est étoffé d'un site Internet, **www.jpn-globish.com,** qui propose gratuitement des articles, des suppléments et, plus fondamental, des corrigés et des enregistrements audio de prononciation : vous les téléchargerez pour les écouter, les apprendre, les imiter. C'est uniquement ainsi que vous seront données les solutions aux exercices proposés dans les pages qui suivent. Vous pouvez copier ces enregistrements autant que vous le souhaitez sans aucun risque de poursuite pénale : ce n'est pas seulement autorisé, c'est encouragé ! Vous y découvrirez également des textes de chansons : durant les sept jours de chaque étape, vous en écouterez une en boucle et la mémoriserez.

Notre pari a été de rédiger à votre intention un livre accessible et néanmoins copieux, qui vous propose l'accès à toute une foule de matériaux complémentaires – gratuits et évolutifs – sur le site. Nous en améliorerons le contenu et l'interface d'accès grâce à vos remarques : elles sont attendues.

Les méthodes qui vous promettent l'anglais en moins de 700 heures vous leurrent. Celles qui vous garantissent que vous l'apprendrez par le seul truchement du divertissement se moquent de vous. L'option ludique ne sera pas méprisée ici, mais un minimum de labeur est nécessaire. En outre, seul le rationnement délibéré et réfléchi du globish peut vous mener à un résultat satisfaisant tout en ménageant vos efforts : nous vous proposons donc 182 heures d'étude assidue. Vous ne serez peut-être pas irréprochable en anglais, mais universellement efficace en globish.

Bonne lecture, bon travail, et bon enrichissement !

Prononciation :
la génératrice de sons

Si vous aviez acquis une bonne expression orale avant votre puberté, à l'âge où votre larynx, votre langue, vos lèvres savaient s'adapter à tout, vous auriez encore maintenant la possibilité d'absorber l'anglais au point de passer pour un anglophone. Malheureusement pour vous dans ce domaine, votre physiologie d'adulte est devenue depuis votre facteur limitant. La surpasser à présent n'est plus qu'un problème physique. Pour exécuter un triple salto en patinage, vous accepteriez de répéter cet exercice invariablement des centaines, voire des milliers de fois avant de gravir le podium sous les applaudissements. Il en va de même pour vos organes vocaux et pour la prononciation, que nous allons vous exposer. Ne soyez pas surpris de n'arriver à rien si vous ne repassez pas inlassablement les exercices vocaux que nous vous proposerons. Si vous le faites, en revanche, vous améliorerez votre performance, peut-être d'une fraction imperceptible chaque jour, mais vous finirez ainsi par monter sur la marche convoitée.

Pour corser encore les choses, l'enseignement institutionnel aura souvent fait appel à votre intelligence, selon le dogme naturel à toute formation. Ce type d'enseignement aurait dû être suffisant, l'exposé magistral comme le travail écrit étant supposés garantir une bonne compréhension. Si, en outre, l'écrit autorise le traitement collectif de toute une classe, l'oral, lui, fait appel à l'expression individuelle : chacun doit parler tour à tour, et le temps manque. Il faut admettre aussi que les professeurs du secondaire ont pour beaucoup un objectif premier : il transcende légitimement l'espoir d'obtenir de leurs élèves une prononciation pouvant leur permettre, au cours de leur carrière, d'évoluer dans l'arène de la mondialisation. Il s'agit en premier lieu de les faire réussir au baccalauréat, dont les épreuves sont essentiellement écrites, encore au moment où nous publions. *Forget the accent...* Ainsi, sans notion fondamentale de prononciation, chaque fois que vous voyez le mot angloricain *intercontinental*, vous pourriez le prononcer automatiquement comme son cousin français, « interconti-nental » : personne ne le comprendra jamais dans votre bouche, en dehors des francophones.

Il est temps de vous atteler à la prononciation en globish, et nous allons vous y conduire sans vous épuiser. Il s'agit uniquement d'un problème de physique, d'organes dans votre corps.

Admettez dès à présent la perfidie et la perversité de l'anglais : c'est une langue dans laquelle il n'existe aucun lien entre la forme écrite des vocables et leur prononciation. Cette réalité affligeante est pudiquement proclamée par les anglophones qui ont publié, à Cambridge, le manuel de l'alphabet phonétique international (plus légitime, tu passes de vie à trépas !) : « De nombreuses langues telles que l'anglais ont un système orthographique dans lequel la relation entre les phonèmes et les lettres de l'alphabet est devenue obscure.[*] » C'est le moins que l'on puisse dire de l'anglais, en enviant l'italien, où toutes les lettres se prononcent, et toujours de la même manière.

À Londres et à Washington D.C., la lecture du mot ne vous sert à rien pour sa restitution verbale[**]. Pourquoi diable le « oo » a-t-il quatre prononciations différentes dans *blood, door, cool* et *foot* ? Pourquoi *low* et *cow* sont-ils si proches pour l'œil, et si différents à l'oreille ? Idem pour *rush* et *push*. Pourquoi *mouth* rend-il un son différent selon qu'il fait référence à la bouche de notre lecteur ou à la seconde syllabe de la ville de Portsmouth (littéralement, et autrefois, « la bouche du port », l'embouchure) ? Pourquoi ne pas prononcer les deux dernières syllabes de *infamous* comme *famous* ? Pourquoi trouve-t-on *the carrot* chez le marchand de légumes et *the carat* chez le joaillier, alors que leurs prononciations sont identiques ? Pour un même mot, il vous faut donc enregistrer, acquérir et retenir six paramètres, classés ici à peu près par ordre d'importance :

1. Comment s'écrit-il ?

2. Où se trouve la syllabe accentuée qui demande un renforcement du niveau sonore ?

---

[*] *Handbook of the International Phonetic Association,* Cambridge University Press, édition 2003, page 27.

[**] C'est le contraire du français, où la forme écrite dicte en général la prononciation, alors que la forme orale ne donne pas l'orthographe : pourquoi diable *le* scarabée, et *la* vérité ? Comment savoir, quand on entend le son « ver », s'il s'agit de ver, vers, vert, verts, verre, verres, ou même de vair, la fourrure dans laquelle fut confectionnée la pantoufle de Cendrillon ?

3. Comment se prononcent les lettres de cette syllabe, puis les autres lettres ?

4. Quel concept ce mot recouvre-t-il et quels sont ses différents sens les plus fréquents ?

5. Quelles sont ses formes dérivées – conjugaison (pour les verbes) et pluriel ?

6. Comment peut-on le transformer, ou l'assembler avec d'autres mots, pour fabriquer de nouveaux vocables aux sens tout autres ?

Vous pourriez avoir conclu déjà que tout cela est compliqué au point de justifier le désespoir et la résignation ? Vous auriez tort, car nous allons vous montrer que la chose est bien plus simple, et que s'exprimer correctement en globish, voire en anglais, n'est pas plus malaisé que de demeurer dans la médiocrité habituelle.

L'ACCENTUATION ET LE RYTHME

Accent et rythme vont de pair. Nous n'entendons pas par accent « un bon accent anglais », mais l'accentuation de certaines syllabes et l'effacement d'autres syllabes. Il y a des syllabes fortes, que vous devrez accentuer vigoureusement, et des syllabes faibles, que vous vous appliquerez à affaiblir cruellement.

Leur alternance façonne une langue rythmée. C'est pourquoi l'anglais est si approprié au rock'n'roll et à la musique pop : la prononciation porte le battement, le parler est fortement cadencé. Les chansons y trouvent leur agrément par la succession organisée de ces syllabes fortes et de ces syllabes faibles. Plus ancienne, la poésie a codifié cette idée principalement sous le terme de « pentamètre iambique » : il désigne des vers de 10 syllabes, divisées en 5 paires de 2 syllabes dans lesquelles faibles et fortes se succèdent (les « iambes »)*. Shakespeare, Milton et la plupart des poètes s'en sont régalés. Les vers ressemblent donc le plus souvent à « la-**boum** la-**boum** la-**boum** la-**boum** la-**boum** », comme dans « *O happy love ! When love like this is found...* », voire à « la-**boum** la-**boum** la-la, **boum**-la-la-**boum** », ou à toute autre musique vocale. Il suffit de choisir les mots appropriés pour exprimer ce qui est souhaité et pour alterner les syllabes accentuées et les faibles : ainsi s'engendrera le rythme rendant la déclamation harmonieuse, avec le nombre de temps nécessaires (trois pour la valse, deux pour le regretté jitterbug, etc.).

Nous voyons ici tout le contraire du français, qui par nature n'est pas rythmé du tout ; toutes les syllabes y ont à peu près le même niveau sonore, et c'est d'abord la juxtaposition des sons qui compose l'harmonie. Pas de « la-**boum** » pour nous. Quand les Anglo-Saxons veulent imiter notre prononciation, c'est par là qu'ils nous tournent en dérision, en supprimant l'accentuation.

---

* Pour en savoir plus : http://lve.scola.ac-paris.fr/anglais/literature.php.

Rare exception offrant chez nous une illustration : la poésie. Ses écrivains répartissent les mots et les accentuent en installant les plus marquants aux sixième et douzième pieds de l'alexandrin. Mais le plus important toujours est de faire rimer le rêve « héroïque et bru**tal** » avec le « charnier na**tal** ». Autre notable exception : dans les chants de marches militaires et scouts. Leur prononciation amène à accentuer une syllabe, celle qui s'entend quand la chaussure droite se pose par terre et que la grosse caisse fait « boum ». Ainsi, de *La Marseillaise*, précédemment « Chant de guerre pour l'armée du Rhin » : « **Allons** en**fants** de **la** pa**trie**, iiee, le **jour** de **gloi**re **est** arrivé, etc. » ; dans la conversation galante, cela est moins net... Dans la notation musicale, les compositeurs soulignent les notes accentuées en plaçant juste au-dessus d'elles le signe >. L'interprète sait qu'à cet endroit il doit souffler plus fort dans la trompette, ou enfoncer la touche d'ivoire vigoureusement. En espagnol, la syllabe accentuée est toujours la dernière pour les mots qui se terminent par une consonne autre que « s » ou « n » (*profe**sor**, animal*), et l'avant-dernière pour les mots se terminant par une voyelle (*co**rri**da*) et par les consonnes « s » et « n » (***ca**sas*). Si, par exception, tel n'est pas le cas, la lettre accentuée porte un accent pour le signifier, comme dans *tes**tí**culo,* pour cette seconde partie de la règle, car l'accent tonique devrait normalement se trouver sur le « u ». Aucun balisage clair de cette sorte en anglais : il faut uniquement compter sur votre mémoire auditive et sur votre étude attentive. À l'instar de son père anglais, **le globish ne se parle pas, il se scande.**

Ici réside votre difficulté majeure. De même que le daltonien qui ne distingue pas bien les couleurs, le francophone ne discerne pas l'accentuation des syllabes : ne l'ayant jamais approchée dans sa propre langue, il ne comprend même pas spontanément ce que nous exposons en ce moment. Il faut donc apprendre cette accentuation des syllabes, et bien mémoriser toutes celles que nous écrirons en **gras,** afin de les marteler le plus possible à l'oral. Il s'agit donc de compenser une infirmité, et même si ce n'est jamais simple, cela est possible.

Faites par exemple prononcer le mot *mahogany* à un Anglo-Saxon, histoire d'avoir une bonne illustration. Ce mot se traduit par « acajou » et vous permettra de mieux saisir l'accentuation. Votre manière française de le prononcer spontanément sera *incompréhensible !* Il se prononce « ma**hog**any », en hurlant presque le « **hog** », avec un « **h** » violemment aspiré, et en avalant à peu près tout le reste.

Quelques règles de base

Ces règles sont habituellement respectées en anglais et, par conséquent, en globish.

Vous appliquerez la notion d'accent (tonique) à certains mots d'une seule syllabe, notamment les mots lexicaux : noms, adjectifs, verbes, adverbes. Les négatifs (*no, none, not, never*), les interrogatifs (*who, what, which, where, why, when, whose, how*), les démonstratifs (*this, that, these, those*) méritent votre insistance pour être bien distingués dans la phrase et, partant, dans votre accentuation. Les autres, les mots grammaticaux, en général, non : il s'agit notamment des pronoms, des articles, des prépositions et des auxiliaires, sauf si vous voulez insister spéciale-ment (« *I **do** believe that **you** are the father* », « je crois vraiment que c'est toi le père »).

Dans les mots de plusieurs syllabes, il y a toujours une syllabe accentuée au moins.

Dans ceux de deux et trois syllabes, une seule syllabe est accen-tuée. Si vous ignorez comment procéder, essayez d'accentuer seulement la première syllabe du mot de deux syllabes. Si cela ne fonctionne pas, passez à la deuxième syllabe.

Dans un mot de trois syllabes, quand vous ressentez la même anxiété, essayez la première, puis la deuxième.

Si vous savez de manière indubitable comment se prononce l'une des voyelles (ou un groupe de voyelles) dans l'une des syl-labes d'un mot qui en comprend deux, et si vous êtes incertain quant à l'autre, c'est que cette autre syllabe est la syllabe faible. Mettez l'accent ailleurs.

La dernière syllabe d'un mot de plus de deux syllabes n'est jamais accentuée.

La fin des mots en « -ion » n'est jamais accentuée.

Dans les mots de quatre syllabes et plus, les syllabes accentuées et non accentuées alternent ; elles ne sont presque jamais juxta-posées.

Si vous n'arrivez pas à mémorisier cette accentuation, inutile d'essayer de prononcer l'anglais, et même le globish : vous per-drez votre temps. Vous devriez, le cas échéant, vous contenter de l'écrit.

LA VOYELLE NEUTRE, SOUVERAINE ABSOLUE : LA BONNE PRONONCIATION EST PRINCIPALEMENT UNE AFFAIRE DE SH'WA

Demandez à quiconque quelle est la voyelle la plus fréquente en anglais. Réponse habituelle : le « e », non sans quelque raison.

Constatez donc ici l'asservissement auquel vous a réduit la forme **écrite** de la langue ! Le « e » gagne en effet à l'écrit. Mais vous verrez bientôt quatre façons de le prononcer : è (*let, best, yet*), ê (*where, terrible*), ë (*be, equal, evil*), ì (*begin, event*).

Maintenant, quelle est la voyelle la plus fréquente à l'**oral** ? Réponse : c'est le sh'wa[*] ! **Pour bien parler, il faut faire le bon sh'wa** ; souvenez-vous-en et vous serez sauvé.

C'est quoi, le sh'wa ? C'est un son unique, qui peut être orthographié de 15 manières différentes au moins (rien que ça !) : a, e, i, o, u, y, ea, io, ie, ai, ou, ia, ua, iou, au…, ce qui lui donne le premier rang de fréquence, et de loin, dans la langue parlée[**]. Mais c'est surtout celui que vous produirez plus souvent que tout autre dans une syllabe faible, quelles que soient la ou les

---

[*] « Sh'wa » est la désignation d'une voyelle en hébreu (souvent appelée « ché'va » dans les communautés ashkénazes). C'est une voyelle souvent muette, non prononcée, dont le rôle est d'indiquer la fin d'une syllabe. Rappelez-vous que c'est la voyelle souveraine : elle fera de vous un roi ou une reine de la prononciation si vous savez la séduire et l'épouser !

[**] Par définition, le sh'wa est plus rare dans les mots d'une seule syllabe. Les mots de deux syllabes et plus sont au nombre de 767 dans les 1 500 termes que le globish a retenus. Dans ces derniers, le sh'wa apparaît 600 fois.

voyelles dans lesquelles il s'incarne. Quand vous le rencontrez, appliquez-vous à l'avaler le plus possible sans le prononcer, et vous serez étonné de voir les anglophones vous comprendre. Si vous y parvenez difficilement, donnez-lui une sonorité précisément intermédiaire entre « e », « o », « a », « u » et « i », jusqu'à ce qu'il soit impossible d'identifier la voyelle que vous aurez choisie pour lui. Habituellement, la sonorité du sh'wa est très proche de celle du « e » français.

Concrètement, le sh'wa ressemble à quoi ? Vous savez dire « s'il te plaît » ? Mais aussi « s'te plaît » ? Dans ce dernier cas, votre « i » est devenu un sh'wa. « À cette heure » devient parfois « À s'theure », par la même transformation du « e », cette fois-ci dans « cette ». Ce n'est qu'une approximation, mais si elle vous a aidé dans votre compréhension du phénomène, elle méritait votre lecture.

Dans le système phonétique du globish, le sh'wa est représenté par le symbole « ∂ », mais s'écrit avec des voyelles différentes et déconcertantes. Comme indiqué plus haut, toutes les voyelles sans exception peuvent incarner un sh'wa dans une syllabe non accentuée. Les anglophones ne s'y trompent pas, et cette voyelle est pour eux tellement insignifiante qu'ils l'oublient même parfois dans l'orthographe : par exemple dans *McDonald's* – pour lequel, en prononçant à la française, beaucoup éprouvent le besoin de rajouter un « a » pour faire « MacDo » – ou dans *Barbra* (Streisand) – on prononce tellement peu le deuxième des trois « a » de « Barbara » qu'il en vient à disparaître. Cela explique aussi que nombre d'anglophones écrivent le mot *compliment* en lieu et place de *complement* : la voyelle du milieu est si peu prononcée qu'ils ne distinguent même plus s'il s'agit d'un « i » ou d'un « e ». Nombreux aussi sont ceux qui écrivent *seperate* au lieu du correct *separate* : comment imagineraient-ils l'orthographe prescrite, puisque la prononciation effacée de la voyelle ne la leur signale pas ? Ils pourraient tout aussi bien voter pour *seprate*.

Un ami américain, originaire du Vermont, m'a ainsi fait part d'un jeu de mots sur *Eiffel* (la Tour, prononcée « ï fɔl ») et *eyeful,* prononcé de la même manière pour lui. Une autre fois, m'entendant relater un voyage au Labrador, il me posa une question que je compris ainsi : « *Did you get Inuit ?* » (« Es-tu devenu Inuit ? »). En effet, des représentants de ce peuple habitent cette région, et sont à tort baptisés « eskimos[*] » par leurs voisins indiens. J'ai eu du mal à trouver la solution, car mon ami me disait en réalité : « *Did you get into it ?* » (« Y es-tu entré ? »), et son « o » de *into* s'était transformé en un vrai sh'wa à l'américaine, avec l'affaiblissement simultané du « t ».

---

[*]   Terme qui, dans la langue de ces derniers, signifierait « mangeur de viande crue ».

Le sh'wa, c'est donc* :

a dans	*e* dans	*i* dans
*a*bove, neutr*a*l, doll*a*r	tak*e*n, und*e*r, syst*e*m	penc*i*l, d*i*smiss, cris*i*s, fert*i*le
o dans	*u* dans	*io* dans
purp*o*se, may*o*r, butt*o*n	meas*u*re, pict*u*re	champ*io*n, quest*io*n, vers*io*n
ea dans	*y* dans	*ie* dans
oc*ea*n	on*y*x	anc*ie*nt, pat*ie*nt
ai dans	*ou* dans	*ia* dans
cert*ai*n, curt*ai*n	fam*ou*s,	parl*ia*ment, civil*ia*n, spec*ia*l
ua dans	*iou* dans	*au* dans
us*ua*l	vic*iou*s, ser*iou*s	*au*thority
oi dans	*ei* dans	
porp*oi*se, tort*oi*se	for*ei*gn	

Votre élocution ne fera plus de différence entre *a notion* et *an ocean* : à l'écrit, c'est à l'évidence dissemblable, mais à l'oral, seul le contexte permet de savoir s'il s'agit d'une notion ou d'une vaste mer.

---

*   Les syllabes en gras sont celles que vous devez accentuer dans la prononciation. Les autres, avec les voyelles en italique, contiennent donc les sh'was et sont affaiblies. Ces mots ne figurent pas tous dans la liste de ceux, canoniques, retenus par le globish.

Également, pour la même raison, la présence du sh'wa universel et omnipotent laisse au poète la liberté inattendue de faire rimer *later* et *alligator* dans une chanson vieille d'un demi-siècle : *See you later, alligator.* Ce serait impossible si « ter » et « tor » ne se prononçaient pas de la même manière dans la syllabe non accentuée.

Exercez-vous à prononcer tous les mots ci-avant. Leurs voyelles inscrites en italique sont les sh'was. Appliquez-vous à les émettre toutes, ainsi que leurs combinaisons, exactement avec le même son. Surprenant, n'est-ce pas ? Mieux, connectez-vous au site **www.jpn-globish.com,** recherchez la section prononciation et écoutez avec soin le chapitre intitulé « Le sh'wa audio ». En voici le texte, à reproduire verbalement de manière rigoureusement exacte, avec l'accentuation tonique, et surtout en respectant méticuleusement la bonne cinquantaine de sh'was indiqués en italique dans ses sept lignes ; ils se prononcent tous avec le même son, à la gloire du marsouin (*porpoise,* un vocable inutile pour vous en globish) :

« The fam*ou*s porp*oi*se breathes *a*bove the oce*a*n's surf*a*ce. Never *a*lone, seldom *a* seri*ou*s anim*a*l, he cert*ai*nly possesses *a* natur*a*l freedom under water. No questi*o*n, *a*nd for ever since the most ancient opini*o*ns in history, observers h*a*ve recognized him *a*s the beau*ti*ful champ*io*n of swimming. Not frightened *of* being *injured* by any other *foreign* crea*tur*e, he is, us*ually* *a*nd on purp*ose*, *a* spec*ial* and vic*ious* fighter.* »

Nous pourrions remplir un ouvrage d'illustrations sur ce son de la principale voyelle non accentuée. Elle est si affaiblie que vous devrez maintenant la rendre indistincte. Dans une langue où oral et écrit n'ont qu'une si faible cohérence, les propositions de réforme de l'orthographe ont pullulé. La seule vraiment valide et productive serait l'ajout d'une lettre à l'alphabet pour le sh'wa. On écrirait avec elle tous les mots qui en comportent le son : ainsi, chacun saurait spontanément les prononcer et, du même coup, placer l'accentuation ailleurs. Automatiquement, nous prononcerions **∂thority, seri∂s, fam∂s, cert∂n, spec∂l, quest∂n, neutr∂l, oc∂n, purp∂se** et **porp∂se**, etc., de manière identique, et nous nous ferions comprendre des Anglo-Saxons au lieu de nous acharner à déformer leur oral en fonction de leur écrit. Ce serait possible : l'anglais aurait ainsi 27 lettres, alors que le français en détient déjà près de 40, en comptant des lettres telles que le ç et le ï ; et nous vivons avec elles sans inconfort.

---

*   « Le célèbre marsouin respire au-dessus de la surface de l'océan. Jamais solitaire, rarement animal sérieux, il dispose certainement d'une liberté naturelle sous l'eau. Sans discussion, et en permanence depuis les plus anciennes opinions dans l'histoire, les observateurs l'ont reconnu comme le beau champion de la natation. Ne craignant les blessures d'aucune autre créature, il est habituellement, et à dessein, un combattant spécialement vicieux. » (Élucubration entièrement artificielle, sans aucune valeur scientifique, hâtivement et facilement échafaudée pour accumuler des sh'was).

Vous observerez que, dans tout mot de deux syllabes, l'une des voyelles est vraisemblablement (mais pas toujours) un sh'wa.

Les vocables longs occasionnent de surprenantes merveilles de prononciation ; les consonnes s'y enchaînent et se combinent sans presque laisser de place aux voyelles affaiblies, souvent devenues des sh'was, à l'exception peut-être de la dernière, encore légèrement perceptible :

◆ *Marlboro* (la cigarette du cow-boy) combine « rlbr » quasiment en un seul trait.

◆ *Canterbury* (la cathédrale, dans le comté du Kent) associe « trbr » pratiquement en un seul son.

◆ *Literature* regroupe « trtr » en un seul jet.

◆ *Vegetables,* souvent abrégé argotiquement en *veggies,* pour la raison que « gtbl » se prononcent en un seul souffle quasi inaudible.

◆ Idem pour *comfortable,* dans lequel « frtbl » se prononcent en un son consolidé : vous serez enfin *comfortable* en globish quand vous saurez prononcer ces mots en débilitant délibérément leurs sh'was jusqu'à lier les multiples consonnes. Cinq consonnes ici, c'est beaucoup ? Allons, vous savez déjà en associer trois, comme « str » dans « strident »... Vous n'y arrivez toujours pas ? Bien, une concession : incorporez discrètement un léger soupçon de son à la place du sh'wa (mais le minimum, n'est-ce pas, ne prononcez pas comme dans une région favorisée de France où les roues des voitures sont équipées de « peneux » !).

Un cas particulier, les préfixes

L'anglais et, par filiation, le globish se privent encore moins de préfixes que le français pour agrémenter le sens du terme, que ce soit pour le souligner ou le modifier. La voyelle du préfixe, même si elle est affaiblie par rapport aux autres dans le mot ainsi transformé, est tout de même entendue : la syllabe du préfixe a en effet son utilité, et elle est parfois prononcée avec une emphase intentionnelle pour bien montrer qu'elle bénéficie d'une importance soutenue à dessein. Si vous avaliez le « dis » de **dis**trust (méfiance), il ne resterait plus, à l'oreille, que le mot trust, qui indique juste le contraire de ce que vous voudriez signifier. Idem pour des mots comme **de**fine, **dis**appear, **en**force, **en**joy, **es**cape, **ex**perience (et tous les mots commençant par « ex- »), **im**prove, **in**sane, **re**cession, **re**ligion, dont les préfixes se perçoivent encore un peu, bien que l'accentuation tonique soit ailleurs. C'est aussi pourquoi **in**famous (infâme) n'a rien à voir, en prononciation, avec **fa**mous (fameux, célèbre, renommé).

Les sons

Si vous saviez prononcer toutes les langues de l'espèce humaine, vos organes vocaux maîtriseraient quelque 183 sons différents (que les savants linguistes appellent des « phonèmes »). Selon l'Association phonétique internationale, tous les parlers peuvent se résumer à la mise en œuvre de ces « phonèmes », et il ne s'en invente plus d'autre. Plus une langue a de phonèmes communs avec le français, plus sa prononciation nous est accessible, et inversement.

Malheureusement, les organes de la voix n'arrivent à reproduire que ce que l'ouïe distingue ; c'est la raison pour laquelle les sourds sont automatiquement muets. Malheureusement encore, votre oreille est très tôt devenue incapable de discriminer les phonèmes différents en anglais, et elle y arrive encore moins dans un mot dont l'orthographe trompeuse vous est connue : vous identifiez le terme dans une bouche anglophone mais ne distinguez pas les sons le composant. Ici se situera l'essentiel de votre travail : découvrir les sons élémentaires, les reconnaître, les acquérir, les restituer. D'innombrables répétitions praticables et peut-être fastidieuses en perspective, mais le succès assuré au bout.

Le dictionnaire français-anglais *Harrap's* sépare 58 phonèmes dans notre langue, y compris 6 diphtongues. Grevisse, autorité belge incontestable, en donne 37. D'autres sources encore se contentent de 32 sons différents. Bon…

Le même dictionnaire *Harrap's* en accorde 55 à l'anglais. Le globish ne visant pas à être parfait, mais à être suffisant, vous en donnera 41 : cette simplification ne nuira pas plus à votre expression que si, en français, vous prononciez « addition » comme « adipeux », en ignorant que le « d » du premier est doublé et que vous devriez le souligner en prononçant « addition » (ce que personne, ou peu s'en faut, ne fait plus). Vous êtes donc confronté à un programme limité mais satisfaisant, qui est d'appréhender 41 sons se décomposant ainsi :

17 sons identiques en français

17 sons de consonnes dont la prononciation sera pour vous identique dans les deux langues et qui ont les mêmes écritures : b, d, f, g, h (toujours aspiré pour vous, sauf dans *hour, honor* et les mots qui en sont dérivés), k, l, m, n, p, r*, s, t, v, w, y, z.

21 sons communs, 3 nouveaux

Au total, 24 sons plus ou moins particuliers, qui se répartissent en 17 voyelles et 7 consonnes.

La plupart vous sont connus ; trois seront nouveaux pour votre gosier et vos lèvres – les sons que vous rencontrez dans *thank you, they* et *vision*. Ils pourraient vous demander un peu de travail. Nous allons cheminer ensemble dans leur découverte et leur acquisition. Nous n'oublierons pas l'accentuation de la langue, tout opposée à la nôtre (traitée plus haut). Écoutez sur notre site Internet les interprétations orales des mots et des phrases que nous allons graduellement développer pour vous au cours des 26 étapes successives du présent ouvrage : « emmagasinez » chacun de ces sons. Surtout, mémorisez bien leur représentation phonétique, afin de la reconnaître et de l'exploiter lorsque vous rencontrerez de nouveaux vocables dont la prononciation encore inconnue sera indiquée grâce à elle.

---

* Le « r » français se prononce avec le bout de la langue posé sur les incisives inférieures ; le « r » anglais avec la langue au milieu de la bouche, sans contact avec aucune dent. Essayez de prononcer « derrière », puis son équivalent anglais « derriere ».

Le Sésame ci-après vous ouvre la caverne aux trésors de cette prononciation. Vous pouvez aussi le télécharger sur Internet : imprimez-le ou copiez-le, mais gardez-le toujours avec vous, bien visible, tout au long de votre étude. Nous vous y proposons ces 24 sons, avant de les étudier en détail dans les étapes ultérieures. Pour vous faciliter la tâche, nous leur avons attribué des transpositions symboliques provenant de notre alphabet occidental coutumier.

Certes, nous aurions pu vous imposer l'alphabet phonétique international. Il permet à un Malgache, par simple lecture, de comprendre puis de reproduire toutes les intonations et inflexions du maltais, sans avoir jamais entendu une phrase de ce parler : c'est son but universel, et c'est fantastique. Mais notre besoin est clairement contingenté : il s'agit de permettre à des francophones de dialoguer grâce à un seul dialecte universel, le globish, dérivé de l'anglais. Nous éviterons donc le marteau-pilon pour écrabouiller le diptère. D'où notre choix plus modeste, mais plus accessible, dans la transcription des sons. Si vous vous souvenez encore un peu de cet alphabet phonétique international qui peut tout, vous apprécierez la simplification que vous trouverez ici.

SÉSAME DE LA PRONONCIATION

Si vous savez bien prononcer les mots types du tableau ci-après, vous devez avoir pleinement confiance.

À des fins d'illustration, nous avons retenu quelques mots qui ne sont pas tous recensés dans le globish, mais que leur pénétration large et tolérée du français rend utiles. Pour certains vocables, il existe plusieurs prononciations possibles et compréhensibles de façon quasi universelle en anglais ; le cas échéant, nous proposons celle qui martyrisera le moins vos organes vocaux. S'il existe une divergence entre la prononciation américaine et les autres, nous privilégions la première, pour une raison utilitaire : c'est la plus répandue, même si officiellement, ce n'est pas la plus correcte. Idem pour les orthographes, le globish faisant son affaire autant de l'américaine que de la britannique, puisqu'elles sont indifféremment comprises par tous les lecteurs.

Attention, allez sur le site (**www.jpn-globish.com,** dans la section « Sésame de la prononciation »), écoutez consciencieusement la façon dont se prononcent ces termes et apprenez en écoutant : il ne serait pas étonnant que vous prononciez *cake, speed, pin, light, rock, gold, cool, out, chat, foot, version* à la manière francophone, un peu trop loin de ce qui est attendu. Concentrez-vous sur *vision* pour être bien orienté. Peut-être croyez-vous que Monsieur Bush se prénomme « Georges » ? En aucune façon : ses parents ont choisi *George,* qui est aussi différent que *Jack* (Lang) de « Jacques » (Chirac). Si vous ne rectifiez pas le tir dès à présent, tout le reste ne servira à rien. Commencez à utiliser vos oreilles : **les accents sont comme les lapins, on les attrape par les oreilles !**

Sésame de la prononciation

Symbole	Mot type	Indication, illustration
à	snack	idem en français
ä	cake	il faut laisser un peu de son « i » comme dans « veille »
â	star	comme dans « pâte » et non comme dans « patte »
ì	pin	« i » bref, son court
ë	speed	« i » long, son prolongé
ï	light	comme dans « ail », « bail », « rail » en français
sh	rush	comme dans « poche »
tch	chat	pas comme le minet... il faut entendre le « t » avant le « ch », comme dans « tchatche » ou « macho »
è	best	comme dans « super » en français
êr	chair	comme dans « pair » en français ; il y a une différence entre « père » et « paire »
ò	rock	entre « râle » et « rôle »
ö	gold	
ô	door	
oi	boy	
th	thank	le « th » vigoureux
dj	jeans	bien faire entendre le « d » avant le « j », comme dans « jingle », « job »
ù	cup	
ü	cool	
û	foot	plus long que dans « foutre »
ou	out	comme « miaou », non comme « Miou-Miou »
yü	new	New Orleans « nyü ôrlënz »
jh	vision	entre « j » et « z »
dh	they	le « th » adouci
ng	string	comme dans « camping », « parking », « gong » en français

Premier exercice pratique

Le premier exercice sera utile et surprenant. La phonétique entre en jeu selon une démarche rigoureusement inverse de ce dont vous avez l'habitude. La coutume de l'apprentissage veut en effet que vous regardiez en premier lieu le mot écrit selon son orthographe correcte, et ensuite, parfois, dans la forme symbolique supposée vous en indiquer le son, la prononciation, soit la phonétique. À dire vrai, la priorité obsédante concédée à l'écrit fait que le second apprentissage ne se pratique pas toujours ; s'il y a lieu, il ne peut au mieux viser qu'une improbable correction de la mauvaise prononciation que vous aurez déjà imaginée en découvrant l'orthographe prématurément.

Nous vous recommandons instamment de procéder autrement en globish. Les méthodes habituelles vous présentent en paquet les mots traitant d'un même thème : la cuisine, l'automobile, le voyage, etc. Dans nos étapes, au contraire, nous regroupons les mots qui se prononcent de la même manière pour le son à travailler : nous juxtaposons volontairement des mots qui ont une prononciation similaire, malgré des orthographes plutôt divergentes. Quand vous serez familiarisé avec le Sésame dont nous venons de vous équiper, entrez dans nos 26 étapes. Dans les sections « Les sons à maîtriser », vous devez chaque fois cacher absolument la colonne de gauche qui divulgue l'orthographe. Regardez seulement la prononciation transcrite avec nos symboles phonétiques, en vous référant au Sésame de la prononciation que vous aurez sous la main, sur une feuille mobile.

Appliquez-vous à prononcer au mieux ce que vous voyez ainsi écrit, avec les sons prescrits et les sh'was pour les mots de plus d'une syllabe ; les syllabes écrites en gras portent l'accent tonique. Selon votre niveau antérieur, vous reconnaîtrez immédiatement certains mots, tandis que d'autres vous sembleront mystérieux. Dès que vous pensez avoir compris ce dont il s'agit, écrivez le mot tel que vous l'avez deviné sur le papier dissimulant la colonne des orthographes à gauche. Quand vous avez terminé la colonne, il est enfin temps de découvrir l'orthographe réelle de ces mots. Vous serez ébahi du nombre de fois où vous direz « Ça alors ! C'est comme ça que ça se prononce ? » Arrivé à ce palier, connectez-vous au site Internet www.jpn-globish.com et cherchez, dans la section correspondante, l'enregistrement audio des vocables que vous venez d'étudier. Vous êtes invité à procéder de la sorte à chaque étape, par ces pictogrammes et ces indications : « 🖥️ 🔊 🎵 audio : www.jpn-globish.com, chapitre A-1 ». Ce sera la touche d'ajustement final à l'éducation de vos organes de la voix. Vous aurez alors franchi un pas décisif et, si vous mémorisez cette prononciation, elle vous sera acquise.

Nous ne connaissons pas de meilleur moyen pour que vous preniez conscience des déformations qui vous ont été infligées durablement dans la prononciation, dues au fait que l'enseignement habituel se préoccupe prioritairement de l'écrit. Par rapport à ce que vous croyez savoir, préparez-vous à quelques surprises !

Deuxième exercice pratique

Le site Internet www.jpn-globish.com vous propose des paroles de chansons anglaises ou américaines célèbres et faciles. Nous en avons assigné une à chacune des 26 étapes. Il faut vous procurer l'enregistrement musical en question (que nous ne pouvons reproduire), apprendre l'air par cœur, le chanter avec toutes les intonations, et enfin regarder la version imprimée : procédez impérativement dans cet ordre, et non en sens inverse, pour ne découvrir l'orthographe qu'après les sons.

Parvenu à ce stade, réécoutez ces morceaux posément, avec maintenant leur texte sous les yeux, et de quoi écrire. Faites-le minutieusement, dans le seul but de souligner les syllabes accentuées. Normalement, vous en soulignerez une sur deux : « Oh oh oh yes, I'm the great pretender », « Oh **oh** oh **yes**, I'm the **great** pre**ten**der. » Il arrivera que vous trouviez deux syllabes écrites agglomérées qui n'en composent qu'une seule à l'oral. L'anglais, et donc le globish, ne compte pas le même nombre de syllabes selon qu'il est écrit ou parlé : ainsi, la ville de Gloucester se prononce Gloster, en perdant une des trois syllabes que vous pensiez avoir reconnues dans son orthographe.

Quand vous aurez fini de bien marquer les syllabes accentuées, réécoutez encore en repérant et en notant celles qui sont avalées et comportent des sh'was que vous entendez à peine, mais qui se prononcent de la même manière partout. Avec cet exercice, vous allez considérablement affûter vos oreilles. Quand vous en serez là, vous chanterez vraiment en anglais comme un anglophone. Parler sera alors devenu naturel…

Construction :
la génératrice de phrases

Les mots ne sont que des briques. La plupart d'entre nous avons appris un vocabulaire considérable mais le prononçons mal, et ne savons que médiocrement en assembler les termes pour en faire un édifice qui ressemble à une demeure pour leurs idées. Cette construction s'appelle une phrase.

LES INGRÉDIENTS DE LA PHRASE

L'enseignement le plus répandu vous apprend à traiter les mots selon leur nature – nom, article, adjectif, pronom, verbe, adverbe, préposition, conjonction, interjection, etc. Tout cela est parfaitement correct et respectable. En globish, nous vous proposons d'alléger cette structure en regroupant ces mots en trois espèces selon leur rôle (ce que vous voulez en faire), et non plus selon leur nature (ce que le dictionnaire dit qu'ils sont).

Ainsi, les mots constituant votre phrase pourront toujours se répartir logiquement en deux, voire trois groupes de mots : les constituants de cette phrase. Un groupe de mots est un ensemble de termes d'origines diverses, et de natures variées, organisés autour d'un pivot ; ceux qui ne sont pas le pivot même s'associent à lui en se mettant au service de sa fonction et en l'adoptant. Tous les éléments d'un groupe autres que le pivot sont facultatifs ; par voie de conséquence, un groupe peut ne contenir qu'un seul mot, son pivot :

◆   1er constituant : le Groupe du verbe ;

◆   2e constituant : le Groupe du sujet ;

◆   3e constituant (facultatif) : le Groupe des circonstances.

LE GROUPE DU VERBE...

... décrit l'action ou l'état.

Dans l'expression « il mange sa soupe », « il » à lui seul n'est pas une phrase, « sa soupe » ne peut pas davantage être une phrase, même isolée ; mais « il mange » en est une, de même que « Mange ! » tout court. Le Groupe du verbe est le mortier, la colonne vertébrale, le créateur premier de la phrase. Sans lui, la phrase n'existe pas, et si vous vous trouvez médiocre à ce jour, c'est sans doute que vous ne l'avez pas assez bien compris, faute de l'avoir vu suffisamment expliqué.

Ce Groupe est composé d'un verbe – le pivot –, éventuellement agrémenté de son ou ses auxiliaires en fonction de la signifi-cation. Exemple : *runs* ; *is working* ; *watched* ; *was driving* ; *have danced* ; *has been dancing* ; *had eaten* ; *had been sleeping* ; *can speak* ; *will write* ; *might be watching*, etc. Ce sont tous des Grou-pes du verbe. Détails dans les 26 étapes qui suivent...

Le Groupe du sujet*...

... accomplit l'action du verbe ou la subit.

Il est formé d'un pronom ou d'un nom (propre ou commun) – le pivot de ce Groupe – complété de déterminants de toutes sortes, de toutes natures et de toutes origines. Exemple : Jacques ; mon oncle Jacques ; mon vieil oncle Jacques ; mon vieil oncle Jacques de la Martinique ; mon vieil oncle Jacques de la Martinique, le frère de ma maman avec son château en Espagne, etc. Ce sont tous des Groupes du sujet, plus ou moins complexes.

Le Groupe des circonstances...

... indique l'objet de l'action, ou les circonstances dans lesquelles se placent le Groupe du sujet et le Groupe du verbe.

Il contient naturellement ce qu'en grammaire il est convenu d'appeler les compléments et les subordonnées, dont il vous est vivement conseillé d'éviter l'accumulation en globish. Ce Groupe est *facultatif*, puisque nombre de phrases n'en ont pas. Il est composé de tous les mots qui ne font pas partie des Groupes du sujet et du verbe. Il peut être formé d'un pivot – nom, adjectif, préposition, adverbe, etc. –, et de ses déterminants ou d'une

---

*   Toutes les phrases ont un Groupe du sujet. Seules exceptions : les rares cas des interjections et des impératives (où il est sous-entendu mais non formulé explicitement). *« Shut up ! »* signifie *« Je t'ordonne de la boucler ! ».*

combinaison de ces mots pour indiquer les circonstances parti-
culières à propos de ce qui est énoncé. Exemple : « (Mon oncle
Jacques nous rendra visite) l'an prochain, dès qu'il aura vendu la
maison dont il est encombré depuis de si nombreuses années à
la suite de la disparition de notre chère tante Madeleine, la
sœur cadette de maman. » En dehors de ce qui se trouve entre
parenthèses, cet exemple est une phrase typiquement trop
complexe.

COMMENT S'Y PRENDRE DE FAÇON PRATIQUE ?

Règle de base : pour chaque situation, répondre aux questions
suivantes :

◆   De **qui,** de **quoi** faut-il ici parler ?

  → Groupe du sujet.

◆   Quelle **action** ou quel **état** faut-il ici décrire ?

  → Groupe du verbe, à conjuguer à la bonne forme (voir
    chapitre suivant, et les étapes en détail).

◆   Pour dire **quoi** et **où, quand, comment, pourquoi ?**

  → Groupe des circonstances.

Exemple 1

Q. 1 — De **qui,** de **quoi** vais-je parler ? Groupe du sujet.

Réponse : de mon oncle Jacques.

Q. 2 — Quel **verbe** vais-je utiliser ? Groupe du verbe.

Réponse : le verbe « être ».

Q. 3 — Pour parler ensuite de **quoi** et **où, quand, comment, pourquoi ?** Groupe des circonstances.

Réponse : professeur d'anglais.

Je vais parler de « mon oncle Jacques » pour dire qu'il est « professeur d'anglais ».

Groupe du sujet	Groupe du verbe	Groupe des circonstances
My uncle James	*is*	*an English teacher.*

Exemple 2

Q. I — De **qui,** de **quoi** vais-je parler ? Groupe du sujet.

Réponse : de mon oncle Jacques.

Q. 2 — Quel verbe vais-je utiliser, et **à quel temps ?** Groupe du verbe.

Réponse : le verbe « venir » au passé de base (voir l'étape Golf).

Q. 3 — Pour dire **quoi** et **où, quand, comment, pourquoi ?** Groupe des circonstances.

Réponse : rendre visite l'an dernier.

Je vais parler de « mon oncle Jacques » pour dire qu'il est « venu nous rendre visite l'an dernier ».

Groupe du sujet	Groupe du verbe	Groupe des circonstances
My uncle James	*came*	*to visit us last year.*

Exemple 3

Q. 1 — De **qui,** de **quoi** vais-je parler ? Groupe du sujet.

Réponse : mon cher vieil oncle Jacques, le frère de maman.

Q. 2 — Quel verbe vais-je utiliser, et **à quel temps ?** Groupe du verbe.

Réponse : le verbe « rendre visite ».

Q. 3 — Pour dire **quoi** et **où, quand, comment, pourquoi ?** Groupe des circonstances.

Réponse : rendre visite l'an prochain avec sa voiture à Paris.

Je vais parler de « ce cher vieil oncle Jacques, le frère de maman » pour dire qu'il « viendra très probablement nous rendre visite en voiture au printemps prochain à Paris ».

Groupe du sujet	Groupe du verbe	Groupe des circonstances
This dear old uncle James, Mom's brother	*will most probably come and visit*	*us with his car next spring in Paris.*

RECOMMANDATION PROPRE AU GLOBISH

Plus vos phrases sont courtes, plus elles ont des Groupes du sujet, du verbe et des circonstances limités, et plus vous serez compréhensible. À titre d'illustration, la déclaration commerciale suivante est certainement exprimée dans un anglais bien acceptable, mais en très mauvais globish :

Intelligently designed along the concepts of a retired architect and the previous owner, and built in proximity to an old touristic *city on the border of sunny Provence, this recently built house, entirely air-conditionned and offering a spacious two hundred square meters, includes a large living room with a side terrace overlooking a wonderful grove of olive trees, and three bedrooms, each with an independent bathroom[*].*

Vous écrirez ou direz plutôt :

This house was intelligently designed by a previous owner. This gentleman had been an architect until he retired. It was built close to an old touristic city. It is situated on the border of sunny Provence. It is entirely air-conditionned. It is recent. It offers two hundred square meters. It has a large living room with a terrace. The terrace looks out over a wonderful grouping of olive trees. The house has three bedrooms. Each of them has an independent bathroom[**].

Et vous serez certainement compris ! C'est le but.

---

[*]   Intelligemment conçue selon les idées d'un architecte en retraite qui en fut le précédent propriétaire, et édifiée non loin d'une vieille ville touristique à la lisière de la Provence ensoleillée, cette maison de construction récente, entièrement climatisée, et offrant 200 m^2, se compose d'une vaste pièce de séjour avec une terrasse adjacente donnant sur un merveilleux verger d'oliviers, et de trois chambres à coucher, toutes munies de leur salle de bain indépendante.

[**]   Cette maison a été intelligemment conçue par un propriétaire antérieur. Cette personne était architecte jusqu'à sa retraite. La maison se trouve à courte distance d'une vieille ville touristique. Elle est située à la lisière de la Provence ensoleillée. Elle est entièrement climatisée. Elle est récente. Elle offre 200 m^2 de superficie. Elle a une vaste salle de séjour, avec terrasse. La terrasse donne sur de merveilleux oliviers. La maison a trois chambres à coucher. Chacune d'elles a sa salle de bain indépendante.

Construction :
la génératrice de verbes

Mortier essentiel de la phrase, le verbe est en anglais, donc en globish, particulièrement sournois en raison des appellations et des apparences qui lui ont été infligées : elles sont trompeuses pour un francophone. Ainsi du « present perfect » : *I have served twenty years in the Navy* devrait se traduire logiquement par « J'ai servi vingt ans dans la marine ». Erreur ! Il se traduit exactement par « Je suis dans la marine depuis vingt ans » et ne pourrait aucunement être employé si je n'y étais plus. Cette forme verbale n'a rien du « parfait » qui, en français, désigne plutôt le passé : c'est un temps du présent (il existe quatre formes verbales pour le temps présent en anglais…). De même, le « pluperfect » n'est pas notre « plus-que-parfait » : la phrase *I had waited fifteen minutes when the bus arrived* met en œuvre l'auxiliaire HAVE, et vous le traduiriez volontiers par « J'avais attendu quinze minutes », alors que c'est plutôt « J'attendais depuis quinze minutes ».

Pour *I purchased a car*, vous auriez envie de traduire « J'achetais une voiture », sans plus d'auxiliaire ni en anglais ni en français, alors que le sens est « J'ai acheté une voiture ». Le seul procédé pour vous est d'oublier tout ce qui faisait l'enseignement dans et de votre langue maternelle, de ne jamais vous y référer pour traduire ou interpréter les temps des verbes anglais, et de vous pénétrer intimement, dans votre chair, de ces derniers dans leur singularité : en comprendre le concept et l'usage par l'instinct sûr, par l'habitude, les réflexes, la mise en œuvre, l'observation. Nous vous donnons ici des indications générales pour éclairer vos interrogations, et la suite sera précisée dans les 26 étapes de cet ouvrage. Manier correctement les verbes est essentiel ; le cas contraire provoque des contresens épouvantables.

LE VERBE ET SES AUXILIAIRES DE CONJUGAISON

Règle de base

Pour chaque situation, répondre aux questions suivantes dans leur ordre précis de complexité croissante, et progresser en apportant les réponses grâce au schéma du Sésame de la conjugaison. C'est infaillible.

Préliminaire : qui conjugue le verbe ?

Il s'agit du pivot du Groupe du sujet abordé dans la section précédente. « Je, tu, il ou elle, nous, vous, ils ou elles » deviennent *I, you, he* ou *she* ou *it, we, you, they* et commandent des formes différentes du verbe, selon le verbe et selon le temps utilisés (voir les étapes). Les autres formes (autres que les pronoms) du pivot du Groupe du sujet exigent la troisième personne du singulier ou du pluriel du verbe, selon leur nature.

Ensuite : à quel point dans l'échelle du temps veulent se placer ce sujet et ce verbe ?

Comme en français :

◆   à un moment passé ;

◆   au moment présent ;

◆   à un moment futur.

Après : ce dont il est parlé s'est-il terminé pour de bon auparavant, ou au contraire a-t-il duré jusqu'au moment dont il est ici question ?

(Que ce moment se situe dans le passé, dans le présent ou le futur, comme nous venons de l'indiquer.)

☺☞ **Truc :** essayez en pensée d'ajouter à votre phrase quelque chose du genre « et je (ou tu, ou il, ou…) le fais encore ». Au futur, « le ferai encore », au passé, « le faisais encore ». Vous pouvez aussi ajouter « jusqu'alors » sans que le sens devienne stupide.

« J'ai célébré au champagne la victoire de l'équipe de France à la Coupe du monde » (« elle a gagné pour de bon à la fraction de seconde où l'arbitre a sifflé la fin de la partie et où nous avons enfin entonné "Et un, et deux, et trois, zéro !"). Impossible d'ajouter « et elle gagne encore ce match en ce moment », et « je continue à boire tout le temps du champagne pour cette raison depuis » : *I celebrated with some Champagne when the*

French team won the world cup. **Le verbe sera dans ses formes de base.** (Voir le Sésame de la conjugaison ci-après et ses deux grandes divisions verticales.)

En revanche, si vous dites « J'admire cet exploit » (je l'ai admiré depuis, et je l'admire toujours), vous récapitulez une antériorité remontant à cette fabuleuse partie ; votre admiration n'est pas encore périmée, elle est toujours valide à l'instant où vous parlez. **Le verbe sera à la forme récapitulative avec l'auxiliaire HAVE :** *I have admired this perfomance.* (Voir le Sésame de la conjugaison ci-dessous et ses deux grandes divisions verticales.)

Pour finir : ce dont il est discuté a-t-il joui d'une durée qui pourrait s'évaluer avec un étalement dans le temps ? Ou, au contraire, d'une période de validité courte, voire instantanée ?

1. Ou bien ce dont il est parlé jouit, a joui ou jouira d'une durée qui pourrait s'évaluer ; il y a un étalement dans le temps : vous êtes dans les conjugaisons de continuité. **Le verbe prendra les formes de continuité, avec l'auxiliaire TO BE, plus le verbe en -*ing* (participe présent).**

☺☞ **Truc :** dit autrement par une image que vous mémoriserez, c'est **la tournure convenant aux expressions ferroviaires.** En effet, si vous pouvez, sans changer le sens, intercaler dans la phrase française « **en train de** » (*in English*, « *in the process of…* » et certainement pas « *in the train of…* »), vous devez utiliser cette formulation. « Je fume un cigare » peut, en perdant un peu d'élégance, se transformer en : « Je suis en train de fumer un cigare » et donc se traduire par : « *I am smoking a cigar.* » Pour être plus évocateur : « *I have been dying to read your book on globish since it was published* » (« Je meurs d'envie de lire ton livre sur le globish depuis qu'il a été publié » ; c'est une envie continue, et elle dure encore parce que la personne qui l'exprime a le tort de ne pas l'avoir encore acheté et lu).

2. Ou bien l'action n'a pas de durée et/ou est arrêtée, et il serait impossible d'introduire « en train de » sans altérer le sens : **le verbe sera dans les formes de base ou de récapitulation simples** (voir les rubriques du Sésame de la conjugaison). Exemple : « *I smoke a cigar every Sunday* », « Je fume un cigare tous les dimanches ». Vous ne pouvez exprimer votre rationnement intelligent de havanes en énonçant « Je suis en train de fumer un cigare tous les dimanches ».

Sésame de la conjugaison

Nous y donnons les noms habituels du temps du verbe en anglais, et, au-dessus, une dénomination nouvelle, propre au globish, qui devrait faciliter votre mémorisation.

	Ce qui est évoqué appartient au **présent**	Ce qui est évoqué appartient au **passé**	Ce qui est évoqué appartient au **futur**
Évoque un état, un fait ou une action — **Sans durée supposée**	**I wash** — my car every week. / Présent de base / Simple Present	**I washed** — my car yesterday. / Passé de base / Simple Past	**I will wash** — my car tomorrow. / Futur de base / Simple Future
	Je lave — ma voiture à toutes les semaines.	**J'ai lavé** — ma voiture hier.	**Je laverai** — ma voiture demain.
Doté d'une continuité, « en train de »	**I am washing** — my car and can't go to lunch. / Présent de continuité / Present Continuous	**I was washing** — my car when you called. / Passé de continuité / Past Continuous	**I will be washing** — my car until noon. / Futur de continuité / Future Continuous
	Je lave (suis en train de laver) — ma voiture et ne peux aller déjeuner.	**J'étais en train de laver** (ou je lavais) — ma voiture quand tu as appelé.	**Je serai à laver** — ma voiture jusqu'à midi.
			☺ I will wash my car, I will be finished by noon.

	I have washed	I had washed	I will have washed
Dresse une récapitulation	my car for thirty minutes. *Présent récapitulatif* *Present Perfect* **Je lave** ma voiture depuis 30 min (et je n'ai pas fini, ou je termine juste).	my car when you called me. *Passé récapitulatif* *Past Perfect* **J'avais lavé** ma voiture lorsque tu m'as appelé.	my car before you arrive tonight. *Futur récapitulatif* *Future Perfect* **J'aurai lavé** ma voiture avant que tu arrives ce soir.
		☺☞ I washed my car. Then you called me.	☺☞ I will wash my car. I will be finished before you arrive tonight.
Doté d'une durée, récapitulation dans la continuité, « en train de... jusqu'à »	**I have been washing** my car since ten this morning. *Présent de continuité récapitulatif* *Present Perfect Continuous* **Je suis occupé à laver** ma voiture depuis dix heures ce matin.	**I had been washing** my car for ten minutes when you called. *Passé de continuité récapitulatif* *Past Perfect Continuous* **J'étais occupé à laver** ma voiture depuis dix minutes quand tu as appelé.	**I will have been washing** my car for one hour by the time you arrive. *Futur de continuité récapitulatif* *Future Perfect Continuous* **J'aurai lavé** ma voiture pendant une heure avant que tu arrives.
Récapitulation sans durée supposée	☺☞ I am washing my car. I started at ten this morning.	☺☞ I was washing my car. You called ten minutes after I started.	☺☞ I will wash my car. I will start one hour before you arrive.

* ☺☞ Solution globish. ** Ce qui se trouve dans les cases grises est superflu et déconseillé en globish.

Le verbe et ses auxiliaires d'appréciation, de mode d'emploi

CAN — COULD — MAY — MIGHT — MUST — SHOULD — WILL — WOULD

Auxiliaire : « Qui aide par son concours.[*] » C'est exactement ce que font les auxiliaires d'appréciation : ils ajoutent une appréciation personnelle sur une action ou un état exprimés par le verbe qui leur est associé ; ils en altèrent intentionnellement le sens, lui apportent une nuance, le transforment, le réorientent. « Je sais nager, je dois manger, je peux boire » ne disent pas la même chose que « je nage, je mange, je bois ». Devant les phrases utilisant ces auxiliaires, vous pourriez en effet ajouter, sans perdre le sens que vous souhaitez exprimer, « selon mon appréciation des circonstances en question... ». L'aménagement ainsi obtenu fait toujours appel au sens de l'un des verbes suivants : DEVOIR, VOULOIR, POUVOIR ou SAVOIR (au sens d'« aptitude à » : « il sait lire et écrire »). Ces auxiliaires ne concernent jamais des faits ; ils sont l'expression d'*opinions, de points de vue* des interlocuteurs au moment concerné. Les grammairiens officiels les appellent généralement des « auxiliaires modaux ».

---

[*] Dictionnaire informatisé *Myriade* pour l'aide à la rédaction, associé au logiciel *ProLexis* utilisé pour rédiger cet ouvrage ; édités par la société DIA-GONAL, version Z013, 2005.

Ces auxiliaires d'appréciation servent donc à exprimer des façons de penser ou d'agir, et des sentiments, positifs ou négatifs : capacité, certitude, hypothèse, possibilité, permission, refus, recommandation, conditionnel, nécessité, prédiction, probabilité, suggestion, blâme, déduction, obligation, préférence, interdiction, volonté, etc.

Demandez-vous ce que vous voulez exprimer, et imprégnez-vous du tableau correspondant ci-après. À ces usages essentiels s'en ajoutent plusieurs autres : vous les adopterez avec l'habitude, et sans peine une fois que vous en aurez compris la logique. Pour plus de détails et pour des solutions faciles en globish, rendez-vous aux étapes Uniform et Victor.

Auxiliaires d'appréciation

Selon mon appréciation subjective des circonstances en question	L'auxiliaire à utiliser est :
Je suis en mesure de... *Je suis capable de...* *Je peux*	CAN : I am fourteen years old, I **can** have children now. *J'ai quatorze ans, je peux avoir des enfants maintenant (ma physiologie m'en donne les capacités).*
Il m'est permis de... *Je puis...*	MAY : And today, at eighteen, I have a good job, he loves me, I love him, I **may** have children now. *Et aujourd'hui, à dix-huit ans, j'ai un bon boulot, il m'aime, je l'aime, je peux avoir des enfants maintenant (rien ne s'y oppose).*
Ce serait bien si je...	WOULD : It **would** be great to have a baby next year. *Ce serait fantastique d'avoir un bébé l'an prochain.*
Il faudrait que je...	SHOULD : He agrees, I **should** have a baby next year. *Il est d'accord, il faudrait que j'aie un bébé l'an prochain.*
Je veux...	WILL : All things considered, I **will** have a baby next year. *Tout bien considéré, je veux un bébé pour l'an prochain.*
Il faut que je...	MUST : This is now a priority, I **must** have a baby next year. *Ceci est prioritaire maintenant, je dois avoir un bébé l'an prochain.*
Il se pourrait que...	COULD et MIGHT : My period is four weeks late, I **might** be pregnant, I **could** have a baby next year. *Mes règles sont en retard de quatre semaines, il se pourrait que je sois enceinte, il se pourrait que j'aie un bébé l'an prochain.*
Certainement que...	MUST : My period is now three months late and the test is positive, I **must** be pregnant. *Mes règles sont maintenant en retard de trois mois et le test est positif, je suis certainement enceinte.*
Je dois... *Il est impératif que...*	MUST : Now that I am pregnant, I **must** rest. *Maintenant que je suis enceinte, je dois me reposer.*

Les verbes irréguliers et les verbes réguliers

Dans le vocabulaire du globish, vous trouverez les 101 verbes irréguliers présentés ci-dessous, mais pas un verbe irrégulier de plus. Tous les autres, réguliers, sont sans surprise.

Présent de base et temps de continuité

L'infinitif des verbes correspond au présent de base indiqué ici : il suffit d'ajouter à la forme de base la particule « **to** » (présent **drive,** infinitif **to drive**). (Voir la colonne « Présent de base » dans le tableau ci-après.)

Les expressions de continuité (« I am driving », « I have been driving », « I will be driving »...) se forment simplement en ajoutant la terminaison **-ing** au présent de base, au besoin en supprimant au préalable le « **e** » final de certains verbes.

Passé de base

Sont indiqués ci-après uniquement nos 101 verbes irréguliers. Les autres verbes retenus dans le vocabulaire du globish sont réguliers ; leur passé de base se forme régulièrement, en ajoutant la terminaison **-ed** au présent de base, ou simplement « **d** » si leur présent de base se termine par un « **e** » : I cheer > I **cheered,** I love > I **loved.**

Participe passé

C'est ici la forme usitée à tous les temps évoquant une récapitulation (« I have driven », « I had driven »), ainsi qu'au passif (« I was driven ». (Voir étape Zulu.)

Pour les verbes du globish qui sont réguliers, le participe passé a la même forme que le passé de base (*cheered, loved*).

Classification des verbes irréguliers

Les méthodes avec lesquelles vous pouvez être coutumier regroupent en général les incontournables verbes irréguliers selon un ordre alphabétique. À dessein, nous vous les présentons ici par similitude : ceux qui passent du présent de base au passé de base par le même changement de voyelle se trouvent ensemble, ceux dont le participe passé se forme par l'ajout d'un « n » également, etc. Cela facilitera grandement votre travail d'étude et votre prononciation.

Les 101 verbes irréguliers du globish

Présent de base	◑	Passé de base	◑	Participe passé	◑	Français
drive	drïv	drove	dröv	driven	**drïv** ən	conduire
ride	rïd	rode	röd	ridden	**rïd** ən	aller à bicyclette
write	rït	wrote	röt	written	**rït** ən	écrire
break	bräk	broke	brök	broken	**brö** kən	casser
choose	tchüz	chose	tchöz	chosen	**tchö** zən	choisir
freeze	frëz	froze	fröz	frozen	**frö** zən	geler
speak	spëk	spoke	spök	spoken	**spö** kən	parler
steal	stël	stole	stöl	stolen	**stö** lən	voler, dérober
begin	bi **gïn**	began	bi **gàn**	begun	bi **gùn**	commencer
drink	drïngk	drank	dràngk	drunk	drùngk	boire
run	rùn	ran	ràn	run	rùn	courir
shrink	shrïngk	shrank	shràngk	shrunk	shrùngk	se rétrécir
sing	sïng	sang	sàng	sung	sùng	chanter
spring	sprïng	sprang	spràng	sprung	sprùng	bondir
swim	swïm	swam	swàm	swum	swùm	nager

mistake	mìs **täk**	mistook	mìs **tük**	mistaken	mìs **tä** kən	se tromper
shake	shäk	shook	shük	shaken	**shä** kən	secouer
take	täk	took	tük	taken	**tä** kən	prendre
blow	blö	blew	blü	blown	blön	souffler
fly	flï	flew	flü	flown	flön	voler (dans l'air)
grow	grö	grew	grü	grown	grön	croître, pousser
know	nö	knew	nyü	known	nön	savoir, connaître
throw	thrö	threw	thrü	thrown	thrön	lancer, jeter
withdraw	widh **drò**	withdrew	widh **drü**	withdrawn	widh **dròn**	retirer
swear	swèr	swore	swôr	sworn	swôrn	jurer
tear	tèr	tore	tôr	torn	tôrn	déchirer
wear	wèr	wore	wôr	worn	wôrn	porter (un vêtement)
show	shö	showed	shöd	shown	shön	montrer
be	bë	was, were	wòz, wèr	been	bin/bën	être
beat	bët	beat	bët	beaten	**bët** ən	battre
become	bi **küm**	became	bi **käm**	become	bi **küm**	devenir
bite	bït	bit	bit	bitten	**bit** ən	mordre
come	küm	came	käm	come	küm	venir

do	dü	*did*	did	*done*	dùn	faire
eat	ët	*ate*	ät	*eaten*	ë tȯn	manger
fall	fôl	*fell*	fel	*fallen*	**fôl** ∂n	tomber
forbid	fȯr **bid**	*forbade*	fȯr **bâd**	*forbidden*	fȯr **bid** ∂n	interdire
forgive	fȯr **giv**	*forgave*	fȯr **gäv**	*forgiven*	fȯr **giv** ∂n	pardonner
give	giv	*gave*	gäv	*given*	**giv** ∂n	donner
go	gö	*went*	wènt	*gone*	gȯn	aller
hide	hïd	*hid*	hid	*hidden*	**hid** ∂n	cacher; se cacher
lie	lï	*lay*	lä	*lain*	län	être étendu
see	së	*saw*	sȯ	*seen*	sën	voir
bleed	blëd	*bled*	blèd	*bled*	blèd	saigner
feed	fëd	*fed*	fèd	*fed*	fèd	nourrir, se nourrir
lead	lëd	*led*	lèd	*led*	lèd	conduire, mener
meet	mët	*met*	mèt	*met*	mèt	rencontrer
read	rëd	*read*	rèd	*read*	rèd	lire
shoot	shüt	*shot*	shòt	*shot*	shòt	tirer (arme)
sleep	slëp	*slept*	slèpt	*slept*	slèpt	dormir
speed	spëd	*sped*	spèd	*sped*	spèd	aller vite

hear	hër	heard	hèrd	heard	hèrd	entendre
dig	dig	dug	dủg	dug	dủg	creuser
hang	hàng	hung	hùng	hung	hùng	pendre
stick	stik	stuck	stủk	stuck	stủk	coller
strike	strïk	struck	strủk	struck	strủk	frapper
awake	∂ **wäk**	awoke	∂ **wōk**	awaken	∂ **wä** k∂n	s'éveiller, éveiller
forget	f∂r **gèt**	forgot	f∂r **gòt**	forgotten	f∂r **gòt** ∂n	oublier
get	gèt	got	gòt	gotten/got	**gòt** ∂n	obtenir, devenir
shine	shïn	shone	shōn	shone	shōn	briller
win	win	won	wùn	won	wùn	gagner
bend	bènd	bent	bènt	bent	bènt	courber, plier
build	bild	built	bilt	built	bilt	construire
lend	lènd	lent	lènt	lent	lènt	prêter
lose	lüz	lost	lòst	lost	lòst	perdre
send	sènd	sent	sènt	sent	sènt	envoyer
spend	spènd	spent	spènt	spent	spènt	dépenser (temps, argent)
deal (with)	dèl	dealt	dèlt	dealt	dèlt	s'occuper, distribuer
mean	mēn	meant	mènt	meant	mènt	vouloir dire

bring	bring	brought	bròt	brought	bròt	apporter
buy	bï	bought	bòt	bought	bòt	acheter
catch	kàch	caught	kòt	caught	kòt	attraper
fight	fït	fought	fòt	fought	fòt	se battre
seek	sëk	sought	sòt	sought	sòt	chercher
teach	tëch	taught	tòt	taught	tòt	enseigner
think	thingk	thought	thòt	thought	thòt	penser
find	find	found	found	found	found	trouver
pay	pä	paid	päd	paid	päd	payer
say	sä	said	sèd	said	sèd	dire
stand	stànd	stood	stüd	stood	stüd	être debout
understand	**ùndərstànd**	understood	**ùndərstüd**	understood	**ùndərstüd**	comprendre
feel	fël	felt	fèlt	felt	fèlt	sentir, se sentir
hold	hòld	held	hèld	held	hèld	tenir
keep	këp	kept	këpt	kept	këpt	garder
leave	lëv	left	lèft	left	lèft	laisser, partir
sell	sèl	sold	söld	sold	söld	vendre
tell	tèl	told	töld	told	töld	dire, raconter

have	hàv	*had*	hàd	hàd	*had*	hàd	avoir
light	lìt	*lit*	lìt	lìt	*lit*	lìt	allumer
make	màk	*made*	màd	màd	*made*	màd	fabriquer, faire
sit	sit	*sat*	sàt	sàt	*sat*	sàt	être assis
slide	slìd	*slid*	slìd	slìd	*slid*	slìd	glisser
burst	bèrst	*burst*	bèrst	bèrst	*burst*	bèrst	éclater
cost	kòst	*cost*	kòst	kòst	*cost*	kòst	coûter
cut	kùt	*cut*	kùt	kùt	*cut*	kùt	couper
hit	hit	*hit*	hit	hit	*hit*	hit	frapper
hurt	hèrt	*hurt*	hèrt	hèrt	*hurt*	hèrt	blesser
put	pùt	*put*	pùt	pùt	*put*	pùt	mettre, poser
set	sèt	*set*	sèt	sèt	*set*	sèt	poser
shut	shùt	*shut*	shùt	shùt	*shut*	shùt	fermer
spread	sprèd	*spread*	sprèd	sprèd	*spread*	sprèd	étaler, étendre

Construction :
la génératrice de mots

L'anglais et son enfant, le globish, ont puisé leurs mots :

◆ dans le fonds des langues non françaises des habitants et envahisseurs autres que Guillaume le Conquérant[*] et ses compagnons. Cela n'a pas été fait pour vous faciliter la tâche ;

◆ dans le patrimoine que les Français ont apporté à partir de 1066 à la langue d'Outre-Manche : cela vous sera infiniment utile, et nettement plus accessible ;

◆ dans un talent sans pareil pour créer des mots par combinaisons d'autres mots, ou par ajouts de suffixes et de préfixes.

---

[*] Ce Français de Normandie qui eut la bonne idée de conquérir l'Angleterre en 1066, d'y exporter notre langue et d'en faire là-bas le parler des riches, des puissants et des nobles. Comme l'expose très bien Henriette Walter (*Honni soit qui mal y pense*, Robert Laffont, 2001), il est bien fâcheux que Jeanne d'Arc ait « bouté l'Anglais hors de France ». Sans cette libération, notre langue serait encore celle du palais de Buckingham, de l'Angleterre, du Royaume-Uni et des anciennes colonies britanniques, dont les États-Unis d'Amérique. Vous n'auriez pas à apprendre le globish… D'où notre gratitude envers la Pucelle, à qui nous dédicaçons ce livre.

LES MOTS DE GUILLAUME LE CONQUÉRANT

Bonne nouvelle, ils sont majoritaires ; mauvaise nouvelle, leur prononciation est toute différente de chez nous, et il vous faut donc les réapprendre par l'écoute. Néanmoins, ils vous seront d'une aide précieuse si vous retenez que :

◆　nous ne pouvons vous donner ici que de grandes tendances, affligées d'innombrables exceptions ;

◆　tout ce que nous indiquons ci-après ne s'applique qu'aux mots et, par conséquent, aux verbes notamment ; mais leurs formes conjuguées peuvent demander quelque circonspection (exemple : les temps de *to read,* lire) ;

◆　les monosyllabes français ont rarement été adoptés tels quels de l'autre côté du Channel*, et les idées ci-dessous s'y prêtent mal ;

◆　les vocables d'origine francophone sont souvent des mots distingués, voire recherchés, qui ont des frères dont l'origine ne se trouve pas en Normandie : ceux-ci sont en général plus plébéiens, et plus usités dans la langue parlée par tout le monde. Si vous employez les mots d'origine française avec un étranger dont la langue n'est pas latine, vous ne ferez que diminuer vos chances d'être compris ;

---

*　Appelé en Grande-Bretagne *the English Channel,* pour nous « la Manche ». À comparer avec le *Straight of Dover,* que tous les gens bien connaissent sous le nom de « Pas-de-Calais », et dont ils peuvent se demander ce qu'il a à faire avec Douvres (*Dover*)…

◆   Nombre de mots angloricains découlent des nôtres. Leur
début est le même, et leur terminaison est parfois identique, parfois transformée, mais dans ce cas d'une manière
régulière, reconnaissable : autant bien comprendre leur
méthode de construction pour les reconnaître. Ils ne figurent pas tous dans le globish, mais vous serez heureux de
savoir les identifier. En voici quelques-uns :

La terminaison française en :	Devient souvent en anglais :	Illustrations :
-té	-ty	society, reality, beauty
-eur	-or, -our	professor, doctor, color
-ique	-ic	republic, historic, plastic
-if	-ive	active, offensive, native
-ien	-ian	musician, Canadian, Parisian
-aire, -oire	-ary, -ory	history, memory, anniversary
-ment	-ly	aggressively, generally, especially
-ie	-y	economy, anarchy, artillery
-ir	-ish	finish, punish
-user	-use	refuse, excuse
-iser	-ise, -ize	modernize, supervize
-uter	-ute	execute, persecute, permute
-eux	-ous	serious, vicious
-isme	-ism	nationalism, racism
-iel	-ial	official, material
-el	-al	sexual, formal, original

◆   L'anglais et le français partagent des mots qui se ressemblent, et que vous allez apprendre à reconnaître. Mais ils n'ont pas toujours le même sens dans les deux langues : prudence, donc. Ce sont les « faux amis ».

LES MOTS QUI S'ENGENDRENT LES UNS LES AUTRES

Les mots ont deux procédés pour proliférer, et vous pourrez vous y essayer en globish, à condition de ne pas oublier l'attitude de base : votre but étant d'être compris, il vous faut commencer par vérifier humblement la réception du message. Si vous vous laissez aller à créer des mots, c'est encore plus indispensable.

Premier procédé, la chenille : les mots s'ajoutent et s'assemblent pour constituer un nouveau sens. La règle de base est que ce qui modifie, qualifie, documente, précise, est toujours placé avant ce qui bénéficie de la transformation : *a car race* est une course de voitures, tandis que *a race car* est une voiture de course. Parfois les mots restent séparés, parfois ils sont reliés par un trait d'union, parfois ils sont accolés.

Le vocable *sea* (la mer) nous en donne une démonstration sans fin : *seafood* (fruits de mer), *sea-sickness* (mal de mer), *sea-floor* (fond sous-marin), *beam-sea* (vagues arrivant de travers), *seaman* (matelot), *seacoast* (littoral), *seaplane* (hydravion), *seaway* (sillage d'un navire), *seaworthy* (en bon état pour prendre la mer), etc.

Certains de ces mots de composition sont si fréquents qu'ils deviennent des préfixes et engendrent toute une suite de vocables, en qualifiant ceux auxquels ils sont associés :

Mot ajouté	Son sens	L'idée	Le mot composé	Son sens
well	bien, bon	améliore	well-being	*bien-être*
			well-oiled	*pompette*
			well-off	*à l'aise matériellement*
good	bon	met en valeur	goodwife	*maîtresse de maison*
			goodwill	*bienveillance*
			good-natured	*accommodant*
ill	mauvais	dit le contraire	ill-sounding	*malsonnant*
			ill-starred	*né sous une mauvaise étoile*
			ill-treat	*maltraiter*
bad	mauvais	inflige un mauvais sens	bad-mouth	*calomnier*
			bad-looking	*laid*
			bad-mannered	*mal élevé*
down	en bas	fait descendre	down-load	*télécharger*
			down-town	*centre-ville*
			downfall	*effondrement*
out	hors	vers l'extérieur	outfall	*déversoir*
			outcome	*aboutissement*
			outdoors	*en plein air*
up	vers le haut	faire monter	uphold	*soutenir*
			uplift	*soulever*
			upgrade	*surclasser (en avion)*

La même manière d'enrichir le vocabulaire se trouve dans l'adjonction de préfixes. Comme en français, mais avec une fréquence et des raffinements encore plus riches. Vous aurez à votre disposition des dizaines de préfixes familiers au français, provenant du latin, avec des significations identiques : *ab, ad, auto, bio, con, contra, contre (counter), de, dis, en, ex, extra, extro, in, inter, intra, intro, multi, non, ob, per, post, pre, pro, re, retro, sub, super, trans, ultra,* etc.

Enfin, de nombreux suffixes sont également à votre disposition, et il vous faut en connaître les sens pour identifier un mot nouveau, composé à partir de celui que vous connaissez déjà et de ce suffixe.

À titre d'illustration, non content d'être à la fois verbe et nom avec la même orthographe, *care* (souci, se soucier) devient *careful* (soigneux, attentif), *careless* (insouciant), *carefully* (soigneusement), *carelessly* (négligemment), *carefulness* (soin, attention), *carelessness* (insouciance).

Ou encore *clock,* « horloge », *clockwise,* « dans le sens des aiguilles d'une montre », *counterclockwise,* « dans le sens contraire des aiguilles d'une montre ».

Ainsi du mot réputé le plus long de la langue anglaise (non retenu en globish) : *antidisestablishmentarianism* : la doctrine (*-ism,* comme dans *realism*) de ceux qui sont (*-arian* comme dans *vegetarian*), contre (*anti-*) la campagne visant à lutter pour la destruction (*-dis-*) de l'*establishment*. Vous pouvez en créer d'autres, pour battre le record : c'est autorisé, mais surtout pas en globish !

Le suffixe ajouté	donne un	avec l'idée de		d'où le mot composé	
-age	nom	acte de	état de	*shortage*	*acreage*
-ance, -ence	nom	nature de	acte de faire	*nuisance*	*reliance*
-er, -or	nom	celui qui fait		*borrower* *director*	*speaker*
-ery	nom	métier	état	*cannery*	*snobbery*
		emplacement			
-hood	nom	de la nature de		*childhood*	*likelihood*
-ness	nom	avec la qualité de		*snobbishness* *blindness*	*kindness*
-dom	nom	propriété de		*wisdom* *freedom*	*kingdom*
-ship	nom	découle en nature de…		*friendship*	*seamanship*
		au résultat soigné			
-al	nom	qui sert à		*refusal*	*burial*
-en	verbe	appliquer l'adjectif		*widen* *flatten*	*straighten*
-able, -ible	adjectif	capable de méritant de		*comfortable* *avoidable*	*drinkable*
-ish	adjectif	de la nature de proche de		*snobbish* *yellowish*	*childish*
-ful	adjectif	doté de		*beautiful* *fearful*	*plentiful*
-less	adjectif	dépourvu de		*topless* *hopeless*	*moneyless*

Enfin, en plus du cas possessif (étape November), le globish, comme l'anglais, accepte toutes les compositions par juxtaposition de mots. La tendance vous est familière, puisqu'elle a envahi le français : « Montargis tapis » signifie en réalité « les tapis de Montargis ». De même, vous pouvez sans trop de risques dire :

- *crewcut,* cheveux en brosse (comme la coupe des équipages de la marine) ;

- *milkman,* laitier ;

- *eyedoctor,* ophtalmologiste (ne pas appliquer au gynéco et au proctologue) ;

- *watchman,* gardien, homme de quart (dans la marine aussi) ;

- *stretchmarks,* vergetures ;

… et inventer, à partir de ce que vous connaissez par ailleurs, des mots qui vous semblent descriptifs.

Les adverbes découlent des adjectifs : l'ajout de la terminaison *-ly* transforme presque toujours un adjectif en adverbe, comme dans *evenly* (de *even,* uni, uniforme), *chiefly* (principalement, de *chief*), *cleanly, badly, beautifully, briefly, calmly…*

Toutes ces règles s'appliquent à tous types de mots : noms, verbes, adjectifs, adverbes, etc. Ne les utilisez pas inconsidérément quand vous vous exprimez en globish, mais soyez certain de ne pas être dérouté quand vous les rencontrerez.

LES SONS À MAÎTRISER

voyelle brève : 👄 à	voyelle longue : 👄 ä
snack : 👄 snàk	cake : 👄 käk

📖	👄	📖	👄
apple	**àp** əl	parade	pə **räd**
matter	**màt** ər	today	tə **dä**
happen	**hàp** ən	away	ə **wä**
passenger	**pàs** ən djər	baby	**bä** bë
command	kə **mànd**	make	mäk
traffic	**tràf** ìk	ancient	**än** shənt
travel	**tràv** əl	take	täk
animal	**àn** ə məl	change	tchändj
album	**àl** bəm	danger	**dän** djər
camera	**kàm** rə	afraid	ə **fräd**
family	**fàm** lë	inflation	ìn **flä** shən

---

* Nos étapes, au nombre de 26, sont désignées par les lettres et les mots qui servent à épeler en alphabet international. Cette façon de procéder est la mieux comprise partout dans le monde, bien mieux que la méthode du type « N comme Noémie ». Avec cette première orthographe, « Alfa », on pourrait croire que l'alphabet international a préféré la dénomination d'une plante dont la fibre est utile à la fabrication du papier. En réalité, il s'agit de la première lettre que les Grecs ont jadis empruntée aux Sémites pour débuter, comme eux, leur alphabet. On la retrouve tant en arabe (*alif*) qu'en hébreux (*alef*).

basket	**bàs** kìt	table	**tä** bəl
cabinet	**kàb** ə nìt	able	**ä** bəl
chance	tchàns	famous	**fä** məs
jacket	**djàk** ìt	labor	**lä** bər
actor	**àk** tər	awake	ə **wäk**

🖥️ 🔊 📢 Audio : www.jpn-globish.com, chapitre A-1,
et 🎤 répétez 50 fois de la même façon. Vous trouverez aussi les tra-
ductions françaises de ces mots dans un lexique rendu disponible sur
le même site. Le mieux pour vous est pourtant, pour chaque terme,
de vous référer à un bon dictionnaire anglais-français, et de passer un
moment à étudier <u>tous</u> les sens du mot anglais. Prenez des notes dans
un registre que vous pourrez consulter. C'est ainsi que vous vous
imprégnerez du concept multiforme auquel correspond chaque vocable, et non pas seulement de la réponse à la question : « À quel mot
correspond-il en français ? »

JE SUIS, J'EXISTE EN CE MOMENT :
LE VERBE *TO BE* AU PRÉSENT DE BASE

> **My name <u>is</u> Pat, and <u>I'm</u> happy**
> **with this famous Globish.**
>
> *Je m'appelle Patricia, et je suis satisfaite de ce célèbre globish.*

Comme en français, ÊTRE : « *To be or not to be, that is the question* », « *Être ou ne pas être, telle est la question* » (Hamlet). Également comme en français, **TO BE** est un verbe (traité ici) et un auxiliaire (voir étapes ultérieures).

Affirmation

📖 Forme écrite	✂ Écrit abrégé	👂 Prononciation
I am in danger	I'm	ïm
He is black	He's	ëz
She is a baby	She's	shëz
It is a game	It's	ìts
We are sad	We're	wër
You are late	You're	yür
They are on the table	They're	dhêr

Négation

📖	✂	👂
I am not tall	I'm not	ïm nòt
He is not afraid	He isn't	ë ìz∂nt
She is not fat	She isn't	shë ìz∂nt
It is not an animal	It isn't	ìt ìz∂nt
We are not criminals	We aren't	wë âr∂nt
You are not away from the parade	You aren't	yü âr∂nt
They are not ancient	They aren't	dhä âr∂nt

Interrogation

📖	👄	📖	👄
Am I ?	àm ï ?	Are we ?	âr wë ?
Is he ?	ìz ë ?	Are you ?	âr yü ?
Is she ?	ìz shë ?	Are they ?	âr dhä ?
Is it ?	ìz ìt ?		

Questions oui/non   Réponses brèves

Are you a passenger ?	Yes, I am — No, I'm not
Is he awake ?	Yes, he is — No, he isn't
Are they French ?	Yes, they are — No, they aren't

Ne répondez jamais à une question par un simple **yes** ou **no**, ou **maybe** (*peut-être*), mais toujours par ce terme complété d'une phrase avec un verbe, de nature à l'expliciter. Encore plus indispensable en globish qu'en simple anglais.

Questions ouvertes

Who are you ? — *Qui êtes-vous ?*
What is he ? — *Que fait-il comme travail ?*
Where are they ? — *Où sont-ils ?*

Questions ouvertes et réponses

Who are you ?	I'm John Brown.
What is she ?	She's a doctor.
Where are they ?	They're in Venice.

Une réponse à une question ouverte doit toujours contenir un verbe conjugué de manière appropriée. À la première question ci-dessus, vous ne pouvez répondre simplement « John Brown ».

Exemples de phrases négatives

The danger isn't great.	The tables aren't white.
He isn't a famous actor.	We aren't ready yet.

À voix haute 🗣, créez 20 phrases affirmatives, négatives et interrogatives, selon les modèles ci-dessus, en utilisant le verbe **TO BE** au présent de base et les mots qui illustrent les sons de l'étape.

💻🔊👂 Correction et audio : www.jpn-globish.com, chapitre A-2, et 🗣 répétez 50 fois en imitant le son le mieux possible.

BONUS DE L'ÉTAPE :
J'AI DES ÉMOTIONS, DES SENSATIONS

TO BE sert aussi à exprimer les sensations, les états ou les émotions. Ici, il correspond habituellement à notre verbe **AVOIR.** Quelquefois, il peut également se traduire par **ÊTRE.**

I'm hungry (I am)	*J'ai faim*
I'm sleepy	*J'ai sommeil*
I'm sick	*J'ai mal au cœur*
I'm hot	*J'ai (trop) chaud*
I'm warm	*J'ai bien chaud*
I'm cold	*J'ai froid*
I'm angry (at somebody)	*Je suis en colère*
I'm afraid (of)	*J'ai peur (de)*
I'm ashamed (of)	*J'ai honte (de)*
I'm lucky	*J'ai de la chance*
I'm used (to)	*J'ai l'habitude (de)*
I'm right	*J'ai raison*
I'm wrong	*J'ai tort*
I'm sick and tired of this	*J'en ai ras le bol*

D'ailleurs, si vous voulez dire *je suis affamé, je suis sommeilleux, je suis honteux,* etc., vous vous y retrouverez sans peine.

La locution *« Est-ce que... ? »* ne se traduit pas :

Est-ce que vous êtes étudiants ? **Are you students ?**

Curiosité angloricaine : les trois « R »

Les « trois R » font référence à **(to) read, (to) write, (to) reckon,** soit *lire, écrire, compter.* Les trois R sont le programme de l'école primaire américaine (*« primary school »*, jusqu'à huit ans). Celle-ci fait suite à l'école maternelle, bizarrement affublée du nom germanique de *« kinder garten »* (pour *jardin d'enfants*).

La première classe de l'école primaire se nomme « *grade one* », ou « *first grade* ». La dernière est appelée « *grade twelve* » : il s'agit de la fin du secondaire, « *high school* » aux États-Unis. Tout l'inverse du français.

Le globish a l'ambition de vous faire progresser en ce qui à trait aux deux premiers R, au point de vous amener à un niveau satisfaisant. Pour ce qui concerne le calcul, vous n'avez besoin de rien. D'ailleurs, vous continuerez toujours à calculer dans votre langue maternelle. C'est même le moyen le plus sûr de découvrir la langue maternelle d'une personne parfaitement bilingue : vous lui demandez d'additionner à haute voix cinq nombres, chacun de cinq chiffres, ou de réciter ses tables de multiplication. S'il peut le faire en français, c'est qu'il a grandi dans cette langue. C'est l'un des procédés employés pour confondre les espions étrangers.

La chanson de l'étape

« Strangers in the night »

🖥️ 🔊 👂 Paroles sur www.jpn-globish.com. 📣 Pratiquez toute la semaine, jusqu'à pouvoir gagner les concours de karaoké avec une prononciation irréprochable, même et surtout si vous ne comprenez pas les paroles.

Étape B {👄 bë}, Bravo* {👄 brâ vö}

LES SONS À MAÎTRISER

symbole : **â**	symbole : **êr**
star : 👄 **stâr**	chair : 👄 **tchêr**

📖	👄	📖	👄
bar	**bâr**	parent	**pêr** ∂nt
garden	**gâr** d∂n	airplane	**êr plän**
start	**stârt**	airport	**êr pôrt**
large	**lârdj**	necessary	**nès** ∂ **sêr** ë
dark	**dârk**	careful	**kêr** f∂l
parliament	**pâr** l∂ m∂nt	swear	**swêr**
mark	**mârk**	compare	k∂m **pêr**
arm	**ârm**	declare	dì **klêr**
target	**târ** gìt	hair	**hêr**
calm	**kâm**	nowhere	**nö wêr**
card	**kârd**	area	**êr** ë ∂
far	**fâr**	repair	rì **pêr**
hard	**hârd**	share	**shêr**
march	**mârtch**	square	**skwêr**

---

* Selon le *Dictionnaire historique de la langue française* (sous la direction d'Alain Rey, Dictionnaires Le Robert), locution empruntée dès 1738 à l'italien pour encourager ou approuver une personne. Comme il s'agit d'un adjectif, les Italiens l'accordent à la personne dans leurs applaudissements : *bravo* à un homme, *brava* à une femme, *bravi* à un groupe.

| parcel | **pâr** səl | terror | **têr** ər |
| part | **pârt** | very | **vêr** ë |

🖥️◀))) 🎵 Audio : www.jpn-globish.com, chapitre B-1,

et 🗣️ répétez 50 fois de la même façon.

CE QUE JE FAIS EN CE MOMENT
N'EST PAS INSTANTANÉ, MAIS JOUIT D'UNE DURÉE :
LE VERBE ORDINAIRE AU PRÉSENT DE CONTINUITÉ

> **I am chairing a convention on market targets.**
>
> *Je préside un congrès sur les objectifs du marché.*

Pour une activité en progression au moment présent, qui continue dans sa validité jusqu'à nouvel ordre.

Période longue ou courte, mais actuelle.

Verbe **TO BE** en auxiliaire, avec le participe présent (toujours obtenu en ajoutant la terminaison **-ing**[*] à la fin de l'infinitif qui désigne usuellement le verbe). Ici au présent, cet auxiliaire **TO**

---

[*] Ce participe présent peut aussi servir, comme en français, à qualifier quelque chose, en lieu et place d'un adjectif épithète : **the developing countries,** *les pays en voie de développement.* Il peut également être employé comme substantif : **my learning of globish,** *mon étude du globish,* **his growing,** *sa croissance.*

BE se met au futur (**I will be chairing, I'll be chairing**) avec le participe présent de la même manière. Également au passé (**I was chairing**, voir étape Echo, et **I have been chairing**).

☺☞ Solution globish : vous vous passerez des autres temps du passé et du futur (voir zones grises dans le tableau « Sésame des verbes conjugués »).

Affirmation

Affirmation	Négation
I'm wearing	I'm not declaring
He's calming	He isn't parading
She's targeting	She isn't sharing
It's starting	It isn't happening
We are marching, We're...	We aren't parting
You are enlarging, You're...	You aren't marking
They are barring, They're...	They aren't gardening

Interrogation

Am I repairing ?	Are we repairing ?
Is he repairing ?	Are you repairing ?
Is she repairing ?	Are they repairing ?
Is it repairing ?	

À voix haute 🎤, créez 20 phrases affirmatives, négatives et interrogatives, selon les modèles ci-après, en utilisant les mots qui illustrent les sons de l'étape.

Questions oui/non — Réponses brèves

Questions oui/non	Réponses brèves
Is the man taking a taxi ?	Yes, he is — No, he isn't
Are you comparing them ?	Yes, I am — No, I'm not
Is she working today ?	Yes, she is — No, she isn't

Questions ouvertes

Who's working today ?	Paul is.
Where are you running to ?	I'm running to the store.
What's he doing ?	He's waiting for Jane.

Who's = Who is, What's = What is, Where's = Where is

Créez vos phrases en vous inspirant de l'exemple suivant :

Kate	(to carry)	the garden chair.

Is Kate carrying the garden chair ? Yes, she is — No, she isn't.

Créez vos phrases :

We	(to go)	to the airport.
The cat	(to play)	with a paper.
Phil	(to take)	a basket.
The Martins	(to ask)	a question.
My father	(to wait)	for a bus.
He	(to travel)	to Canada.
You	(to thank)	James.
They	(to make)	money.

🖥️🔊 🗣️ Correction et audio : www.jpn-globish.com, chapitre B-2, et 🗣️ répétez 50 fois en imitant le son le mieux possible.

🗣 Créez aussi d'autres possibilités en suivant l'exemple ci-après :

Monica	(to carry)	basket	baby

Is Monica carrying the basket ?

No, she isn't, **but** she is carrying the baby.

À vous :

Sujet	**Verbe**	*Option 1*	*Option 2*
My father	(to carry)	a bag	a basket
Pat	(to take)	a glass	an apple
Mrs Jones	(to wear)	a hat	a raincoat
Bob and I	(to thank)	Pat	Alan
Champions	(to travel)	by car	by air

💻🔊👂 Correction et audio : www.jpn-globish.com, chapitre B-3, et 🗣 répétez 50 fois en imitant le son le mieux possible.

BONUS DE L'ÉTAPE : LES ARTICLES

Articles	*Explications*
un, une = **a, an**	**a** {👄 ə} devant une consonne **an** {👄 ən} devant une voyelle
le, la, les, l' = **the**	**the** {👄 dhə} devant une consonne **the** {👄 dhë} devant une voyelle
des = **(∅)**	Il n'y a pas d'équivalent, on ne dit rien.

Exemples d'utilisation

The man is carrying ∅ <u>parcels</u>.	L'homme porte des colis.
The man is carrying <u>the parcel</u>.	L'homme porte le colis.
The man is carrying <u>a parcel</u>.	L'homme porte un colis.

CURIOSITÉ ANGLORICAINE : LES ÉTUDES SUPÉRIEURES AUX ÉTATS-UNIS

I take an exam.

Je passe un examen.

I pass an exam.

Je réussis à un examen.

En fonction de vos notes, votre « *high school* » vous donne ou vous refuse un diplôme pour vos études secondaires. Ceux qui obtiennent ce diplôme peuvent dire « I am a high school graduate » ; les autres se contenteront de « I completed high school ». À la sortie, un examen national optionnel distribue des notes qualifiant le niveau atteint, cela en vue des candidatures aux études supérieures (« *further education* »). Il s'agit du SAT (Scholastic Aptitude Test), différent de notre diplôme d'études secondaires en ce qu'il ne donne pas un verdict sanctionnant « la réussite » ou « l'échec ». Mais la personnalité, les réalisations individuelles, les ambitions, les aptitudes à faire briller l'équipe sportive, les recommandations influentes, la filiation et la fortune familiale peuvent aussi compter dans la décision de l'université que vous convoitez. Les études professionnelles et techniques (appelées « *vocational* ») débouchent sur un « *vocational training certificate* » (par exemple : « *vocational training certificate in cooking* »).

Les études supérieures, souvent fort coûteuses, se divisent en trois étapes :

College (souvent une partie d'une *university*), qui appartient bien aux études supérieures, et non secondaires, à l'inverse de ce que ferait croire son nom. Quatre ans débouchent sur un *Bachelor's degree* (baccalauréat en traduction littérale, équivalent du baccalauréat québécois).

Graduate School ensuite. Deux ans qui conduisent au *Master's degree*, en « science », en « art » ou en « *business administration* » (le MBA, recherché comme complément par nombre d'étudiants étrangers).

University : il faut deux à quatre ans pour obtenir le diplôme ultime, soit le Ph.D., qui signifie *Docteur en philosophie* mais s'applique à toutes les disciplines. Ceux qui en sont titulaires se font souvent appeler « *Doctor* ».

Les personnes dotées de plusieurs titres les énuméreront alors ainsi : « BS, MS, Ph.D. », pour « *Bachelor of Science, Master's degree in Science, Ph.D.* ».

Essentiellement, il y a correspondance entre les diplômes américains, canadiens et québécois.

Il se trouve aussi de nombreuses formations spécialisées : *Law schools* (juridique), *Medical schools* (médecine), *Business schools* (écoles de commerce, pour nous).

Les enseignants s'appellent en général « *teacher* » au primaire et au secondaire, mais « *professor* » dans l'enseignement supérieur.

LA CHANSON DE L'ÉTAPE

« *Thank Heaven for Little Girls* »

Paroles sur www.jpn-globish.com, pratiquez toute la semaine.

Étape C { 👄 së}, Charlie* { 👄 tchâr lë}

LES SONS À MAÎTRISER

voyelle brève : 👄 è	voyelle longue : 👄 ë
best : 👄 **bèst**	speed : 👄 **spëd**

📖	👄	📖	👄
credit	**krèd** ìt	atmosphere	**àt** məs **fër**
friend	**frènd**	cheese	**tchëz**
center, centre	**sèn** tər	complete	kəm **plët**
medecine	**mèd** ə sən	material	mə **tër** ë əl
possess	pə **zès**	easy	**ë** zë
record	**rèk** ərd	media	**më** dë ə
protect	prə **tèkt**	freedom	**frë** dəm
accept	àk **sèpt**	legal	**lë** gəl
pregnant	**prèg** nənt	memory	**mèm** ə rë
expert	**èk** spèrt	disease	də **zëz**
depend	dì **pènd**	equal	**ë** kwəl
effort	**èf** ərt	breathe	**brëdh**
empty	**èmp** të	police	pə **lës**
instead	ìn **stèd**	reason	**rë** zən
second	**sèk** ənd	succeed	sèk **sëd**
suppress	sə **près**	season	**së** zən

---

*   Surnom affectueux destiné à tous les Charles. Cela dit, plus habituel pour Chaplin que pour le prince de Galles ou l'empereur à la barbe fleurie.

Audio : www.jpn-globish.com, chapitre C-1, et répétez 50 fois de la même façon.

JE DÉTIENS, J'AI QUELQUE CHOSE EN CE MOMENT : LE VERBE *TO HAVE* AU PRÉSENT DE BASE

> **I have a good record here.**
> *J'ai un bon dossier ici.*

Comme en français, « avoir », « détenir ». Son présent de base est employé pour parler de faits présents. Comme **AVOIR** en français aussi, **TO HAVE** est un verbe (traité ici) et un auxiliaire (voir étapes ultérieures).

Affirmation	*Négation*	*Interrogation*
I have	I don't have	Do I have ?
He has	He doesn't have	Does he have ?
She has	She doesn't have	Does she have ?
It has	It doesn't have	Does it have ?
We have	We don't have	Do we have ?
You have	You don't have	Do you have ?
They have	They don't have	Do they have ?

Questions oui/non   **Réponses brèves**

Questions oui/non	Réponses brèves
Do you have a friend here ?	Yes, I do — No, I don't
Does he have a job in this company ?	Yes, he does — No, he doesn't
Do they have a second reason ?	Yes, they do — No, they don't

Tous les verbes ordinaires utilisent ce temps du présent de base : **I love, I buy, I want, I work...** Cette forme au présent de base ne s'emploie jamais pour les activités en cours, dotées d'une continuité, qui exigent la forme en **-ing,** vue à l'étape Bravo. Le présent de base du verbe ordinaire est toujours identique à la forme donnée pour l'infinitif (**to love, I love**), à l'exception de la troisième personne du singulier qui prend un « s » à la fin (**he/she love<u>s</u>**), et des auxiliaires.

Exemples de questions ouvertes

Who do you have a drink with on Mondays ?	Avec qui prenez-vous un verre le lundi ?
What does she have on her head ?	Qu'est-ce qu'elle a sur la tête ?
Where do you have your coffee at noon ?	Où buvez-vous le café à midi ?

À voix haute 🗣, créez 20 phrases interrogatives en utilisant le verbe **to have** au présent de base, en vous inspirant des phrases modèles ci-dessus et à l'aide des mots de l'étape (ou de vos propres mots). Construisez au moins 10 questions oui/non (sans mot interrogatif : « **Do you have... ?** ») et 10 questions ouvertes (avec mot interrogatif), chacune avec une réponse. Répondez-y brièvement.

💻🔊👂 Correction et audio : www.jpn-globish.com, chapitre C-2, et 🗣 répétez 50 fois en imitant le son le mieux possible.

Exemples de phrases négatives

This individual doesn't have a good reason.
We don't have dinner at five.
They don't have an empty seat for you.

À voix haute 🗣, créez 20 phrases affirmatives, négatives et interrogatives, selon les modèles ci-dessus, en utilisant les mots qui illustrent les sons de l'étape.

💻🔊👂 Correction et audio : www.jpn-globish.com, chapitre C-3, et 🗣 répétez 50 fois en imitant le son le mieux possible.

To have to pour exprimer l'obligation au présent

I have to go to work.	Je dois aller travailler.
I have to get petrol (gas) soon.	Je dois prendre de l'essence bientôt.

🗣 Créez vos phrases affirmatives, négatives et interrogatives avec l'expression « **to have to** » exprimant l'obligation au présent.

Bonus de l'étape : exprimer chiffres et nombres

> 10	11 > 20	21 > 30	Tens
One	Eleven	Twenty-one	Ten
Two	Twelve	Twenty-two	Twenty
Three	Thirteen	Twenty-three	Thirty
Four	Fourteen	Twenty-four	Forty
Five	Fifteen	Twenty-five	Fifty
Six	Sixteen	Twenty-six	Sixty
Seven	Seventeen	Twenty-seven	Seventy
Eight	Eighteen	Twenty-eight	Eighty
Nine	Nineteen	Twenty-nine	Ninety
Ten	Twenty	Thirty	One hundred

404	Four hundred AND four
414	Four hundred AND fourteen
440	Four hundred AND forty
1,000	One thousand
1,652	One thousand, six hundred AND fifty-two
100,000	One hundred thousand

CURIOSITÉ ANGLORICAINE : UN ET DEMI

En français, *1,5* est singulier (pas encore deux) :

1,50 euro.

En anglais, **1.5** est pluriel (plus qu'un) :

1.50 euros.

LA CHANSON DE L'ÉTAPE

« Unforgettable »

🖥️◀ッ 🔊 Paroles sur www.jpn-globish.com, 🗣️ pratiquez toute la semaine.

Étape D {👄 dë}, Delta* {👄 dèl tə}

LES SONS À MAÎTRISER

voyelle brève : 👄 ì	voyelle longue : 👄 ï
pin : 👄 pìn	light : 👄 lït

📖	👄	📖	👄
similar	sìm ə lər	knife	nïf
citizen	sìt ə zən	light	lït
distance	dìs təns	climate	klï mìt
liquid	lìk wìd	diet	dï ət
minute	mìn ìt	twice	twïs
opinion	ə pìn yən	society	sə sï ə të
civilian	sə vìl yən	supply	sə plï
religion	rì lìdj ən	silence	sï ləns
signal	sìg nəl	provide	prə vïd
consider	kən sìd ər	surprise	sər prïz
different	dìf rənt	violence	vï ə ləns
criminal	krìm ə nəl	quiet	kwï ət
demand	dì mànd	advise	àd vïz
build	bìld	require	rì kwïr
dinner	dìn ər	drive	drïv
dismiss	dìs mìs	private	prï vìt

---

* Quatrième lettre de l'alphabet grec, « Δ », également empruntée à l'alphabet sémitique, et que l'on retrouve en hébreu sous la forme *dalet*, où elle signifie aussi « porte ».

🖥️ 📢 👂 Audio : www.jpn-globish.com, chapitre D-1, et
🗣️ répétez 50 fois de la même façon.

J'ÉTAIS, J'EXISTAIS PRÉCÉDEMMENT : LE VERBE *TO BE* AU PASSÉ DE BASE

> **I was a very quiet child.**
> *J'ai été un enfant très tranquille.*

Affirmation

📖	👄	📖	👄
I was	ï wòz	We were	wë wèr
He was	ë wòz	You were	yü wèr
She was	shë wòz	They were	dhä wèr
It was	ìt wòz		

Négation

📖	✂️	👄
I was not	I wasn't	ï wòz ∂nt
He was not	He wasn't	ë wòz ∂nt
She was not	She wasn't	shë wòz ∂nt
It was not	It wasn't	ìt wòz ∂nt
We were not	We weren't	wë wèr ∂nt
You were not	You weren't	yü wèr ∂nt
They were not	They weren't	dhä wèr ∂nt

Interrogation

📖	👄	📖	👄
Was I ?	wòz ï ?	Were we ?	wèr wë ?
Was he ?	wòz ë ?	Were you ?	wèr yü ?
Was she ?	wòz shë ?	Were they ?	wèr dhä ?
Was it ?	wòz ìt ?		

Questions oui/non   Réponses brèves

Were you in Canada ?	Yes, I was — No, I wasn't
Was he a citizen ?	Yes, he was — No, he wasn't
Were they nice ?	Yes, they were — No, they weren't

Questions ouvertes

Who were they ? – *Qui étaient-ils ?*
What was he ? – *Quelle était sa profession ?*
Where was she ? – *Où était-elle ?*

Exemples de phrases négatives

The dinner wasn't ready.
He wasn't a famous actor.
The men weren't criminals.
The climate wasn't calm.

À voix haute 🗣, créez 20 phrases affirmatives, négatives et interrogatives, utilisant les mots qui illustrent les sons de l'étape, avec le verbe **to be** au passé de base, selon les modèles ci-dessus.

📓🔊 🔉 Correction et audio : www.jpn-globish.com, chapitre D-2, et 🎤 répétez 50 fois en imitant le son le mieux possible.

Bonus de l'étape :
Le nom, et le pronom qui le remplace

Si l'on dit :	Avec le pronom :	L'expression correcte sera :
I know Tim (*je connais Tim*)	**him** (*le, lui*)	I know him (*je le connais*)
I know Susan	**her** (*elle, la*)	I know her
I know this movie	**it** (*le, la, lui, elle*)	I know it
She knows Jack	**me** (*me, moi*)	She knows me
She knows Bill	**you** (*te, toi, vous*)	She knows you, Bill
She knows you and me	**us** (*nous*)	She knows us
We know Tim and Susan	**them** (*elles, eux, les*)	We know them

Curiosité angloricaine : bonjour

« **How do you do !** » ne se traduit pas par « *Comment allez-vous ?* ». Il signifie tout simplement « *Bonjour !* ».

La seule réplique possible est « **How do you do !** ».

Cette formule de politesse anglaise leur vient de l'ancienne forme française pour dire bonjour, qui était « *Comment faites-vous ? »*.

Mais « **How are you ?** » est plus proche d'une vraie question sur l'état dans lequel se trouve celle ou celui qui la reçoit.

LA CHANSON DE L'ÉTAPE

« I get a kick out of you »

🖥️ 🔊 🎵 Paroles sur www.jpn-globish.com, 🗣️ pratiquez toute la semaine.

Étape E {👄 ë}, Echo* {👄 èk ö}

LES SONS À MAÎTRISER

voyelle brève : 👄 ò	voyelle longue : 👄 ö
rock : 👄 ròk	gold : 👄 göld

📖	👄	📖	👄
bottle	**bòt** əl	coast	**köst**
collar	**kòl** ər	control	kən **tröl**
college	**kòl** ìdj	window	**wìn** dö
common	**kòm** ən	postpone	pöst **pön**
technology	tèk **nòl** ə djë	radio	**rä** dë ö
continent	**kòn** tə nənt	propose	prə **pöz**
responsible	rì **spòn** sə bəl	load	**löd**
document	**dòk** yə mənt	telephone	**tèl** ə fön
honest	**òn** ìst	progress	**prö** grès
holiday	**hòl** ə dä	soap	**söp**
moderate	**mòd** ər ìt	social	**sö** shəl
bottom	**bòt** əm	cooperate	kö **òp** ər **ät**
colony	**kòl** ə në	flow	**flö**
popular	**pòp** yə lər	explode	èk **splöd**

---

* Il ne s'agit pas seulement du son, ou plus généralement du signal, répercuté et renvoyé par une surface : ce fut surtout une nymphe que désira Pan, le grand paillard. Pour préserver la vertu de la jeune fille, son père, le fleuve Ladon, la changea en un roseau sur sa rive. Pan en fit sa célèbre flûte (selon la légende mythologique…).

| occupy | **òk** yə **pï** | know | **nö** |
| conference | **kòn** fər əns | program | **prö** gràm |

📺 🔊 🎵 Audio : www.jpn-globish.com, chapitre E-1, et
🗣 répétez 50 fois de la même façon.

J'EXPRIME UNE ACTION PASSÉE
ET JE PRÉCISE QUE CETTE ACTION A DURÉ :
LE VERBE ORDINAIRE AU PASSÉ DE CONTINUITÉ

> **We <u>were getting</u> along so well yesterday !**
> *Nous nous entendions si bien hier !*

Pour une activité, une réalité en progression, avec une continuité, à une période du passé. Décrit fréquemment une activité
secondaire par rapport à l'activité principale. Correspond le
plus souvent à l'imparfait de la langue française. Met au passé la
forme du présent de continuité présentée à l'étape Bravo.

Affirmation	*Négation*
I was phoning	I wasn't phoning
He was postponing	He wasn't postponing
She was progressing	She wasn't progressing
It was exploding	It wasn't exploding
We were cooperating	We weren't cooperating
You were controlling	You weren't controlling
They were loading	They weren't loading

Interrogation

Was I phoning ?	Were we cooperating ?
Was he postponing ?	Were you controlling ?
Was she progressing ?	Were they loading ?
Was it exploding ?	

« Phoning » est l'abréviation coutumière de « telephoning ».

À voix haute 🗣, créez 20 phrases affirmatives, négatives et interrogatives, selon les modèles ci-après, au passé de conti-nuité.

Questions oui/non	Réponses brèves
Was the man writing a letter ?	Yes, he was — No, he wasn't
Were you travelling together ?	Yes, we were — No, we weren't
Was he flying to Paris on British Airways ?	Yes, he was — No, he wasn't

Questions ouvertes et réponses

Who were you with ?	I was with James.
Where were you going ?	I was going to Toronto.
What was she holding ?	She was holding a handbag.

🖥 🔊 📜 Correction et audio : www.jpn-globish.com, chapitre E-2, et 🗣 répétez 50 fois en imitant le son le mieux possible.

BONUS DE L'ÉTAPE :
LES DÉMONSTRATIFS, ADJECTIFS ET PRONOMS

| **this =** | **these =** | **that =** | **those =** |
| ceci | ceux-ci, celles-ci | cela | ceux-là, celles-là |

I am washing this car.	This is the document.
These printers are working.	But those are being loaded.
I am postponing those interviews.	But these are worrying me.
Are you driving that car ?	That is interesting.

<u>This car</u> is a Ferrari. <u>That car</u> is a Porsche.

Cette voiture-ci… Cette voiture-là…

<u>These cars</u> are Italian. <u>Those cars</u> are German.

Ces voitures-ci (proches)… Ces voitures-là (plus éloignées)…

CURIOSITÉ ANGLORICAINE : L'ARGENT

Il s'agit de money (ou **dough** = *fric*).

En Grande-Bretagne : **a ten-pound banknote** (*un billet de dix livres*).

Aux États-Unis : **a ten-dollar bill.** Tous les billets sont verts au verso, d'où leur surnom, **green-backs,** et la plaisanterie, « **I like green** ».

Les pièces américaines ont des noms : « 25 cents » = **a quarter,** « 10 cents » = **a dime,** « 5 cents » = **a nickel.** Le *nickel* est plus gros que la *dîme,* malgré une valeur inférieure : c'est que jadis cette dernière était en argent.

LA CHANSON DE L'ÉTAPE

« You make me feel so young »

Paroles sur www.jpn-globish.com, pratiquez toute la semaine.

Étape F {👂 èf}, __Foxtrot__* {👂 fòks tròt}

LES SONS À MAÎTRISER

voyelle brève : 👂 ù	voyelle longue : 👂 ü
cup : 👂 kùp	cool : 👂 kül

📖	👂	📖	👂
country	**kùn** trë	group	**grüp**
come	**kùm**	movie	**müv** ë
above	ə **bùv**	improve	ìm **prüv**
discuss	dìs **kùs**	wound	**wünd**
govern	**gùv** ərn	tooth	**tüth**
sudden	**sùd** ən	jewel	**djü** wəl
adult	ə **dùlt**	balloon	bə **lün**
recover	rë **kùv** ər	rule	**rül**
comfort	**kùm** fərt	sure	**shür**
husband	**hùz** bənd	cure	**kyür**
stomach	**stùm** ək	influence	**ìn** flü əns
structure	**strùk** tchər	insurance	ìn **shür** əns
substance	**sùb** stəns	resolution	**rèz** ə **lü** shən
public	**pùb** lìk	foolish	**fül** ìsh

---

*　Terme anglais décrivant l'allure à laquelle progresse le cavalier qui poursuit le renard (**fox**) dans un exercice de chasse récemment prohibé en Grande-Bretagne, mais qui devient populaire aux États-Unis. Par imitation, attribué à une danse naguère populaire.

| company | **kùm** p∂ në | approve | ∂ **prüv** |
| become | bë **kùm** | pollute | p∂ **lüt** |

🖥️ 🔊 🎵 www.jpn-globish.com, chapitre F-1, et 🗣️ répétez 50 fois
de la même façon.

J'AI EU, J'AI DÉTENU PRÉCÉDEMMENT :
LE VERBE *TO HAVE* AU PASSÉ DE BASE

> **I had a dream about my influence in this company.**
>
> *J'ai fait un rêve au sujet de mon influence*
> *dans cette société.*

Ce temps de verbe est utilisé pour parler de détentions, de
possessions ou d'expériences passées.

Affirmation	*Négation*	*Interrogation*
I had	I didn't have	Did I have ?
He had	He didn't have	Did he have ?
She had	She didn't have	Did she have ?
It had	It didn't have	Did it have ?
We had	We didn't have	Did we have ?
You had	You didn't have	Did you have ?
They had	They didn't have	Did they have ?

Questions oui/non / Réponses brèves

Questions oui/non	Réponses brèves
Did you have breakfast at the hotel ?	Yes, I did — No, I didn't
Did she have a blue car yesterday ?	Yes, she did — No, she didn't
Did they have insurance ?	Yes, they did — No, they didn't

Exemples de questions ouvertes

Who did they have their holiday with ?	*Avec qui ont-ils pris leurs vacances ?*
What did she have for dinner last night ?	*Qu'est-ce qu'elle a mangé hier soir ?*
Where did you have your operation ?	*Où as-tu été opéré ?*

À voix haute 🔊, créez 20 phrases interrogatives en utilisant le verbe **to have** au passé de base, en vous inspirant des phrases modèles ci-dessus et à l'aide des mots de l'étape, puis répondez-y brièvement.

Constituez au moins 20 questions oui/non (sans mot interrogatif) et 20 questions ouvertes (avec mot interrogatif), chacune avec une réponse.

💻 🔊 🎵 Correction et audio : www.jpn-globish.com, chapitre F-2, et 🔊 répétez 50 fois en imitant le son le mieux possible.

Exemples de phrases négatives

| The American didn't have a Volkswagen. |
| We didn't have fruit at noon. |
| She didn't have a husband for two years. |

À voix haute 🔊, créez 20 phrases négatives en utilisant le verbe **to have** au passé de base, en vous inspirant des phrases modèles ci-dessus et à l'aide des mots de l'étape (ou de vos propres mots), et ajoutez-y un adjectif (attribut).

💻🔊📢 Correction et audio : www.jpn-globish.com, chapitre F-3, et 🔊 répétez 50 fois en imitant le son le mieux possible.

Bonus de l'étape : ici et là, indiquer l'endroit

here	**there**	**over there**
ici (tout près)	*là (plus loin)*	*là-bas (très loin)*

My Ferrari is <u>here</u>.　　　　*Ma Ferrari est ici.*

My Lancia is <u>there</u>.　　　　*Ma Lancia est là (un peu plus loin).*

My Mercedeses are <u>over there</u>.　　*Mes Mercedes sont là-bas.*

On peut dire aussi :

<u>Here is</u> my Ferrari.　　　　*Voici…*

<u>There is</u> my Lancia.　　　　*Voilà…*

CURIOSITÉ ANGLORICAINE :
LA CONSOMMATION DES VOITURES

En France, on calcule la consommation d'une voiture en litres nécessaires pour couvrir une distance fixe de 100 km.

Aux États-Unis, on met un **gallon** (3,8 l) et on compte (en **miles**) la distance couverte. Exemple : une Toyota Corolla consomme 8 litres pour 100 km ou elle fait 29 miles pour 1 gallon. Soit 8 l/100 km ou 29 mpg.

Question, **what is the fuel consumption of a** :

Jaguar XJ 12 (20 l/100 km) = _____ mpg ?

Fiat Cinquecento (50 mpg) = _____ l/100 km ?

À vos calculettes ! Réponses sur le site.

Remarque : dans le Commonwealth britannique, le gallon, appelé **imperial gallon,** vaut 4,5 litres. Encore un autre calcul (dont vous serez épargné).

LA CHANSON DE L'ÉTAPE

« My prayer »

www.jpn-globish.com, pratiquez toute la semaine.

Étape G {👄 djë}, Golf* {👄 gòlf}

Les sons à maîtriser

Symbole : ô		symbole : yü	
door : 👄 dôr		new : 👄 nyü	

📖	👄	📖	👄
orange	ôr ìndj	fuel	fyül
all	ôl	music	myü zìk
reward	rì wôrd	nuclear	nyü klë ∂r
resource	rì zôrs	produce	pr∂ dyüs
autumn	ô t∂m	human	hyü m∂n
cause	kôz	computer	k∂m pyüt ∂r
broadcast	brôd kàst	dispute	dìs pyüt
border	bôr d∂r	accuse	∂ kyüz
born	bôrn	duty	dyü të
forest	fôr ìst	excuse	èks kyüz
borrow	bôr ö	rescue	rès kyü
foreign	fôr ∂n	humor	hyü m∂r

---

* Désigne ce jeu universellement connu, pratiqué avec une petite balle et des instruments appelés *clubs*. A donné lieu à la formule imagée « **old golfers never die, they just lose their balls** ». C'est l'un des deux monosyllabes de cet alphabet, et l'invention est critiquable, le son se rapprochant du « go » de **tango,** surtout tel que celui-ci est prononcé par les non-anglophones qui oublient d'accentuer correctement « **tang** ».

majority	m∂ **djôr** ∂ të	neutral	**nyü** tr∂l
enforce	èn **fôrs**	refuse	rì **fyüz**
report	rì **pôrt**	substitute	<u>**sùb**</u> st∂ **tyüt**
because	bë **kôz**	beautiful	**byü** t∂ f∂l

💻 🔊 👂 www.jpn-globish.com, chapitre G-1, et 🎤 pratiquez toute la semaine.

CE QUE JE FAISAIS À CETTE ÉPOQUE EST BEL ET BIEN TERMINÉ : LE VERBE ORDINAIRE AU PASSÉ DE BASE

> **I reported in Globish this morning to four foreigners.**
>
> *J'ai fait mon compte rendu en globish ce matin*
> *devant quatre étrangers.*

On l'utilise pour parler d'événements, de faits, d'états perçus comme terminés, révolus. Quelle qu'ait été leur durée, leur validité est achevée au moment où se place l'observateur.

Au passé de base, à <u>toutes</u> les personnes :

◆ Terminaison en **-ed** pour les verbes réguliers : **asked** (*demandé*), **answered** (*répondu*), **wanted** (*voulu*), **loved** (*aimé*).

◆ Terminaison particulière pour les verbes irréguliers : par exemple, **to leave** (*partir*) devient **left** (*parti*). Voir pages 61 à 66 la liste des 101 un verbes irréguliers du globish.

◆ **To have** (*avoir,* verbe ou auxiliaire) devient : **had, hadn't.**

◆ **To do** (*faire,* verbe ou auxiliaire) devient : **did, didn't.**

Affirmation au passé de base

I left	I accused
He, she, it came	He, she, it rescued
We knew	We refused
You built	You borrowed
They drove	They reported

Exemples

Yesterday afternoon, I <u>left</u> for the airport.	*Hier après-midi, je suis parti à l'aéroport.*
At the airport, a man <u>asked</u> if I <u>was</u> French. I <u>answered</u> I <u>had</u> a French passport.	*À l'aéroport, un homme m'a demandé si j'étais français, j'ai répondu que j'avais un passeport français.*
He <u>wanted</u> to examine it.	*Il a voulu l'examiner.*

☺☞ Solution globish : « Yesterday afternoon, I left for the airport. At the airport, a man asked "Are you French ?". I answered "I have a French passport". He said "I want to examine it". »

Créez vos phrases en complétant :

At the airport, a man asked if Bob _____ French. Bob _____ he _____ a French passport.

At the airport, a man asked if we _____ French. We
_____ we _____ French passports.

At the airport, a man asked if they _____ French. They
_____ they _____ French passports.

📻🔊👂 www.jpn-globish.com, chapitre G-2, et 🗣 50 fois.

Écoutez, dans l'enregistrement audio, la prononciation de **-ed**
(**wanted, worked, canceled**).

1. Verbes dont le présent et l'infinitif se terminent par un son **t**
ou par un **d** : **ìd**.

admit	admitted	👄 àd **mìt** ìd
wait	waited	👄 **wät** ìd
attend	attended	👄 ∂ **tènd** ìd

2. Verbes se terminant par un son **gh (f), sh, th, s, p** ou **k** : **t**.

attack	attacked	👄 ∂ **tàkt**
announce	announced	👄 ∂ **nounst**
laugh	laughed	👄 **làft**

3. Autres verbes : le **e** ne s'entend pas, on ne prononce que le
d, relié aux consonnes qui précédaient le **e** : **billed,** 👄 bìld ;
believed, 👄 bì lëvd.

À voix haute 🗣, créez 20 phrases selon les modèles ci-après,
en utilisant les mots qui illustrent les sons de l'étape.

Exemple : A majority of us refused to borrow resources from the computer department.

Négation au passé de base :
auxiliaire DID, DIDN'T (DID NOT).

I didn't leave	I didn't accuse
He, she, it didn't come	He, she, it didn't rescue
We didn't know	We didn't refuse
You didn't build	You didn't borrow
They didn't drive	They didn't report

Exemples

Yesterday, I didn't leave for the airport.	Hier, je ne suis pas parti à l'aéroport.
Nobody asked me if I was French.	Personne ne m'a demandé si j'étais français.
I didn't say I owned a French passport.	Je n'ai pas dit que je détenais…
The policeman didn't need to examine it.	Le policier n'a pas eu besoin de l'examiner.

☺☞ Solution globish : « Yesterday afternoon, I did not leave for the airport. At the airport, nobody asked me "Are you French ?". I did not say "I have a French passport". The policeman did not need to examine it. »

À voix haute 🎤, créez 20 phrases selon les modèles ci-dessus, en utilisant les mots qui illustrent les sons de l'étape.

Exemple : Yesterday, we didn't broadcast this beautiful foreign music.

💻🔊👂 www.jpn-globish.com, chapitre G-3, et 🎤 50 fois.

Interrogation au passé de base : auxiliaire DID, DIDN'T (DID NOT)

Did I leave ?	Did I accuse ?
Did he, she, it come ?	Did he, she, it rescue ?
Did we know ?	Did we refuse ?
Did you build ?	Did you borrow ?
Did they drive ?	Did they report ?

Exemples

Yesterday, <u>did you leave</u> for the airport ?	*Hier, es-tu parti à l'aéroport ?*
Yesterday, <u>did</u> a man <u>ask</u> if you <u>were</u> French ?	*Un homme t'a-t-il demandé si tu étais français ?*
<u>Did</u> you <u>answer</u> you <u>had</u> a French passport ?	*As-tu répondu que tu détenais un passeport français ?*
<u>Did</u> he <u>want</u> to examine it ?	*A-t-il voulu l'examiner ?*

☺☞ Solution globish : « Yesterday, you left for the airport ? A man asked if you were French ? You answered that you owned a French passport ? He wanted to examine it ? »

Répétez à voix haute les phrases types encadrées ci-dessus avec **I, he, she, it, we, they.**

À voix haute 🎤, créez vos phrases en utilisant les mots de la liste fournie au début de l'étape et en formulant des interrogations.

💻🔊🎵 www.jpn-globish.com, chapitre G-4, et 🎤 50 fois.

Bonus de l'étape : je veux que

I want the children to learn their music.

Je veux que les enfants apprennent leur musique.

Cette tournure permet de pallier l'absence de subjonctif (tu viens, *que tu viennes* ; ils font, *qu'ils fassent* ; il va, *qu'il aille*).

Sue (to want)   children   (to play, street) :

Sue doesn't want the children to play in the street.

On peut remplacer « children » par « them » (pronom complément : **me, him, her, it, us, you, them**).

I want them to learn their music.

Je veux qu'ils apprennent leur musique.

☺☞ Solution globish : « I want that they learn their music », « The children will learn their music, this is what I want. »

Curiosité Angloricaine : Les Unités de Mesure

Metrication : terme inventé par les Anglais pour la conversion au système métrique.

Linear measures :

one inch (1 in.)	=	approx. 2,5 cm (« two point five cm »)
one foot (1 ft)	=	approx. 30,5 cm (« thirty point five cm »)
one yard (3 feet)	=	approx. 91,5 cm (Originellement, la distance entre le nez du roi Edward d'Angleterre [années 944 à 975] et l'extrémité de son majeur, le bras et la main tendus. Moins précis que le mètre étalon déposé au pavillon de Breteuil. Traduction exacte, en particulier au Québec : « une verge ».)
one mile (1 mi.)	=	1,609 km Différent du **nautical mile,** qui vaut 1,852 km. Il faut préciser…

Square measures (surface) :

square inch

square foot

square yard

square mile

On a aussi acre (un *arpent,* soit environ 0,4047 hectare).

Combien de **square feet** dans un **acre** (43 560), et combien d'**acres** dans un **square mile** (640) ? Impossible de calculer les réponses sans tout convertir en mesures métriques…

Cubic measures (volume) :

cubic inch
cubic foot
cubic yard

Calculez combien de **gallons** peut contenir un réservoir cylindrique d'une hauteur de 4,5 pieds et d'un diamètre identique. Bon courage !

LA CHANSON DE L'ÉTAPE

« *The great pretender* »

📟 📢 👂 www.jpn-globish.com, 🗣 pratiquez toute la semaine.

Étape H {👄 ätch}, <u>Hotel</u>* {👄 hö tèl}

Les sons à maîtriser

symbole : **oi**	symbole : **dj**
boy : 👄 **boi**	jeans : 👄 **djënz**

📖	👄	📖	👄
joint	**djoint**	bridge	**brìdj**
boycott	**boi** kòt	budget	**bùdj** ìt
voice	**vois**	inject	ìn **djèkt**
noise	**noiz**	jail	**djäl**
destroy	dì **stroi**	joke	**djök**
enjoy	èn **djoi**	engineer	èn djə **nër**
oil	**oil**	age	**ädj**
employ	èm **ploi**	apologize	ə **pòl** ə **djïz**
appoint	ə **point**	average	**àv** rìdj
avoid	ə **void**	biology	bï **òl** ə djë
deploy	dì **ploi**	carriage	**kàr** ìdj
join	**djoin**	general	**djèn** ər əl
loyal	**loi** əl	hostage	**hòs** tìdj
poison	**poi** zən	huge	**hyüdj**
soil	**soil**	suggest	sə **djèst**
boy	**boi**	vegetable	**vèdj** tə bəl

---

* Mot canonique du vocabulaire du globish, et qui est compris spontanément partout dans le monde. Se prononce avec un fort « **h** » aspiré.

💻 🔊 👂 www.jpn-globish.com, chapitre H-1, et 👄.

Ce dont je parle a commencé dans le passé mais n'est pas terminé à l'instant présent : le verbe ordinaire au présent récapitulatif

---

I have loyally worked on the employment plan for two weeks.

Je travaille loyalement sur le plan de recrutement depuis deux semaines.

I have enjoyed this work since the first day, and I have learnt new tricks of the trade.

J'aime ce travail depuis le premier jour, et j'y apprends de nouvelles astuces du métier.

L'interlocuteur considère le passé écoulé et en dresse une récapitulation, une rétrospective, jusqu'au moment présent où il se place pour observer : **TO HAVE** en auxiliaire, et le verbe (infinitif **+** terminaison en **-ed** pour les réguliers, et 101 termes à mémoriser absolument pour les irréguliers : liste organisée pour vous pages 61 à 66).

I have hated, it has not decreased, have they camped ?

I have heard, it has not fallen, have they worn ?

Contrairement au français, *tous* les verbes utilisent l'auxiliaire (AVOIR) : **HAVE** ou **HAS**.

Habituez-vous donc à : « I have come », « she has stayed », « we have gone », « they have remembered », « you have written to each other », pour parler au présent...

Une différence fondamentale entre les deux langues : à l'étape Golf, nous avons vu que « **Yesterday, I left for the airport** » décrit une action passée et <u>terminée</u> (*je suis parti*). Malgré la présence de **HAVE** (AVOIR), le présent récapitulatif ne rend jamais le passé composé (*j'ai acheté*) du français : c'est un des quatre temps du présent (voir Sésame de la conjugaison, pages 54 et 55).

L'exemple suivant résume ces différences :

I <u>bought</u> this car in June.

I <u>have driven</u> it since June, I <u>have enjoyed</u> it for six months.

J'ai acheté (action terminée et datée). *Je roule* avec elle (action ayant débuté il y a six mois et non achevée). *J'y trouve du plaisir depuis six mois* (et encore maintenant).

Exemple

The police (to arrest) me in 1848, and we are now in 1855.	*La police m'a arrêté en 1848, et nous sommes en 1855.*

1) The police arrested me <u>in 1848</u>.

2) The police arrested me <u>seven years ago</u> (*il y a sept ans*).

3) I have been in jail <u>for seven years</u> (*durée*).

4) I have been in jail <u>since 1848</u> (*point de départ*).

☺☞ Solution globish : « It was seven years ago. The police arrested me. They put me in jail. I have been there since. I have never left the prison. »

À voix haute 🎤, créez 20 phrases selon les modèles ci-dessus, en utilisant les mots qui illustrent les sons de l'étape.

Verbe au passé de base	Verbe au présent récapitulatif
He (to leave) home at 11 am, and it is 2 pm.	he (to drive) (for) (since) (hours) ago
She (to employ) this engineer in 1995, and we are now in 1997.	she (to employ) this engineer (for) (since) (years) ago
I (to stop smoking) last Monday.	(Sunday) not (to smoke) (for) (since) (days) ago
I (to stop sailing in 2000).	I (not to sail) (for) (since) (ago)

💻 🔊 👂 H-2, et 🎤 50 fois.

🗣 Créez vos phrases :

Pour chacune des propositions suivantes, construisez à chaque fois trois réponses et commentaires supplémentaires, avec **since** puis **for,** et enfin **ago.**

Exemple : When did George W. Bush become President of the USA ? He became President for the first time in 2001, four years ago, and has been in office since then, for more than four years.

When did the Allied Forces land in Normandy ?

When was the Euro introduced ?

When did Corsica become French ? (1767)

When were the Quebeckers abandonned by France ? (au traité de Paris en 1763)

How long have the Quebeckers been separated from France ?

🖥 🔊 🫳 H-3, et 🗣 50 fois.

BONUS DE L'ÉTAPE : MOI-MÊME, TOI-MÊME...

She is destroying herself by drinking too much.
Elle se détruit en buvant trop.

Exemples

I am enjoying **myself.**	We helped **ourselves** first.
You look at **yourself.**	You look at **yourselves.**
He appointed **himself** president.	She made a joke about **herself.**
It poisoned **itself** (by eating the rat poison).	She committed suicide, she killed **herself.**
Old people are often alone : they speak to **themselves.**	They look at **themselves.**

Self indique ce qui se rapporte au seul sujet en question, et intervient comme suffixe dans de très nombreux mots et locutions : **self-evident,** *qui saute aux yeux,* **self-defense,** *légitime défense,* **self-filling,** *remplissage automatique,* etc. Aussi **selfish,** *égoïste.*

Curiosité angloricaine : après la virgule

Aucun chiffre ou nombre ne prend la marque du pluriel.

Décimales :

1,257	s'écrit	**1.257**	et se lit	**one point two five seven**
0,5	s'écrit	**.5**	et se lit	**point five**

I have a .22 gun (a point twenty-two gun).

J'ai une arme à feu de calibre 5,5 mm.

Explication : **point 22** signifie **0,22 inch** (= *pouce*), soit 5,5 mm. En anglais, la décimale est indiquée par un point (et non une virgule), un peu comme les fréquences de radio FM. De plus, pour une valeur inférieure à l'unité, on oublie souvent le zéro : « 357 Magnum, three fifty seven Magnum », soit un projectile de 9 mm.

La chanson de l'étape

« Are you the one ? »

💻🔊👂 www.jpn-globish.com, 🗣 pratiquez toute la semaine.

Étape I { 👄 ï}, <u>India</u>* { 👄 ìn dë ∂}

LES SONS À MAÎTRISER

Symbole : û		Symbole : ou	
Foot : 👄 **fût**		Out : 👄 **out**	

📖	👄	📖	👄
good	**gûd**	south	**south**
cook	**kûk**	ground	**ground**
wool	**wûl**	sound	**sound**
book	**bûk**	loud	**loud**
woman	**wûm** ∂n	power	**pou** ∂r
bullet	**bûl** ìt	powder	**pou** d∂r
pull	**pûl**	mountain	**moun** t∂n
push	**pûsh**	about	∂ **bout**
put	**pût**	amount	∂ **mount**
sugar	**shûg** ∂r	however	hou **èv** ∂r
should	**shûd**	thousand	**thou** z∂nd
wood	**wûd**	cloud	**kloud**
full	**fûl**	doubt	**dout**
foot	**fût**	announce	∂ **nouns**
would	**wûd**	how	**hou**
		flower	**flou** ∂r

---

*   Le territoire que Christophe Colomb déclara avoir découvert le 12 octobre 1492. En réalité, c'est l'un de ses équipiers, Rodrigo de Triana, qui l'avait aperçu la veille, mais l'amiral refusa de lui en attribuer l'honneur.

 www.jpn-globish.com, chapitre 1-1, et 🎤.

Ce dont je veux parler a commencé dans le passé, et continue dans la durée : le verbe ordinaire au présent de continuité récapitulatif

> **<u>I have been announcing</u> the publication of this book on Globish for a good four months.**
>
> *J'annonce la publication de ce livre sur le globish depuis au moins quatre mois.*

En se plaçant comme observateur à l'instant présent, l'interlocuteur considère une activité passée, dotée d'une continuité durable et appréciable, non instantanée. Ici, la forme de continuité en **-ing** (vue au présent à l'étape Bravo) se construit avec **HAVE BEEN** ou **HAS BEEN** pour montrer la récapitulation jusqu'à l'instant auquel veut se situer l'observateur. La forme en **-ing** insiste ainsi sur la durée de cette activité, et **HAVE** sur son caractère non encore révolu au moment où elle est évoquée.

C'est le temps le plus employé en anglais ; mais c'est aussi le moins évident à comprendre, généralement pour cause de mauvais apprentissage. Si vous maîtrisez bien cette forme d'expression, tout le reste est du gâteau (« it'll be a piece of cake »).

Affirmation	**Négation**
I've been cooking.	I haven't been cooking.
He's been pulling.	He hasn't been pulling.
She's been putting.	She hasn't been putting.
It's been pushing.	It hasn't been pushing.
We've been suggesting.	We haven't been suggesting.
You've been doubting.	You haven't been doubting.
They've been announcing.	They haven't been announcing.

Interrogation

Have I been cooking ?	Have we been suggesting ?
Has he been pulling ?	Have you been doubting ?
Has she been putting ?	Have they been announcing ?
Has it been pushing ?	

À voix haute 🎤, créez 20 phrases selon chacun des modèles ci-après, au présent de continuité récapitulatif.

Questions oui/non	**Réponses brèves**
Has she been pushing it again ?	Yes, she has. No, she hasn't.
Have we been cooking for three hours ?	Yes, we/you have. No, we/you haven't.
Have they been watching TV recently ?	Yes, they have. No, they haven't.

Questions ouvertes et réponses

Who's he been dating ?	He's been dating Betty.
Where's she been working for the last two years ?	She's been working for the same company.
What's John been saying ?	He's been saying nothing.
How long have they been traveling to Spain ?	They've been traveling to Spain for the last six years.
Why's (why has) he been running all day ?	He's been running all day because he is very busy.
How's he been doing ?	He's been doing fine.

À voix haute 🗣, créez 20 autres phrases originales, avec **for** ou **since** ; employez des affirmations et des négations, au présent récapitulatif, en vous aidant des propositions suivantes.

Bob (to enjoy) the mountains three days.	Bob has been enjoying the mountains for three days.
She (to work in Italy) 1995.	
Our chairman (to learn Chinese) last Spring.	
The passengers (to try) to push the bus for half-an-hour.	

💻 🔊 👂 1-2, et 🗣 50 fois.

BONUS DE L'ÉTAPE :
L'ENRICHISSEMENT DE L'ADJECTIF

En bonne logique, dès que nous apportons une précision sur un adjectif, cette précision doit se placer <u>avant</u> l'adjectif. La couleur **blue** est précisée ainsi : **pale blue** (*bleu pâle*), **sky blue** (*bleu ciel*), **navy blue** (*bleu marine*), **light blue** (*bleu clair*), **dark blue** (*bleu foncé*), etc.

> **« Gone with the wind » is a <u>well-known</u> book.**
>
> *« Autant en emporte le vent » est un livre*
> *(bien) connu.*

> **Here is a <u>sweet-smelling</u> flower.**
>
> *Voici une fleur qui sent bon (odorante).*

> **Michele has blue eyes, she is a <u>blue-eyed</u> girl.**
>
> *Michèle a les yeux bleus, c'est une fille aux yeux bleus.*

> **In this ice-cold storm, Snow White is sea-sick.**
> **Her face is snow-white.**
> **She will not eat her home-made cake.**
>
> *Par cette tempête glaciale, Blanche-Neige a le mal de mer.*
> *Son visage est blanc comme la neige.*
> *Elle ne mangera pas son gâteau fait maison.*

CURIOSITÉ ANGLORICAINE : J'INDIQUE UN ITINÉRAIRE

Nous voici maintenant au Far West, quelque part dans les Dakotas (patrie des Indiens Sioux, et dont le nom, dans leur langue, signifie « terre des amis, des alliés »).

« Pourquoi ne viendriez-vous pas prendre une tasse de café cet après-midi ? Notre ferme est au nord-ouest, pas loin du tout de là où vous habitez. Quittez la ville vers l'ouest pendant 28 miles, puis prenez la direction du nord pendant 14 miles. Alors, il faut tourner à l'est. Notre maison n'est qu'à 5 miles. Facile ! Vous ne pouvez pas vous tromper. »

Moralité : si vous roulez dans l'Ouest, ayez une boussole et un bon compteur kilométrique à bord ! Les Américains ne vous donneront pas de carte ni de croquis, mais des explications le plus souvent écrites.

LA CHANSON DE L'ÉTAPE

« I'm dreaming of a White Christmas »

🖥️ 🔊 👂 www.jpn-globish.com, 🗣️ pratiquez toute la semaine.

Étape J {👄 djä}, Juliet* {👄 djü lë ∂t}

LES SONS À MAÎTRISER

th adouci : **dh**	th vigoureux : **th**
they : 👄 **dhä**	thank : 👄 **thàngk**

📖	👄	📖	👄
than	**dhàn**	method	**mèth** ∂d
another	∂ **nùdh** ∂r	theory	**thë** ∂ rë
together	t∂ **gèdh** ∂r	authority	∂ **thôr** ∂ të
mother	**mùdh** ∂r	sympathy	**sìm** p∂ thë
theirs	**dhêrz**	thing	**thìng**
neither	**në** dh∂r	wealth	**wèlth**
smooth	**smüdh**	theater	**thë** ∂ t∂r
weather	**wèdh** ∂r	thirteen	**thèr tën**
brother	**brùdh** ∂r	thirty	**thèr** të
without	**wìdh** out	thousand	**thou** z∂nd
feather	**fèdh** ∂r	threaten	**thrèt** ∂n
although	ôl **dhö**	healthy	**hèl** thë
breathe	**brëdh**	through	**thrü**
either	**ë** dh∂r	throw	**thrö**
the	**dh∂**	cloth	**klòth**
gather	**gàdh** ∂r	tooth	**tüth**

---

* L'héroïne au destin tragique de Shakespeare, souvent sur son balcon à Vérone, et inséparable de Roméo (voir étape Romeo, page 195).

 www.jpn-globish.com, chapitre J-1, et 🗣.

J'AMÉLIORE ET JE PRÉCISE LE VERBE
À L'AIDE DE PETITS MOTS DIRECTIONNELS

> **I <u>run down</u> from the second floor, <u>out of</u> the house and <u>across</u> the street.**
>
> *Je descends en courant du premier étage, je sors de la maison en courant, je traverse la rue en courant.*

Des mots s'ajoutent au verbe, après lui dans la phrase, pour en modifier ou en préciser le sens, souvent même pour le réorienter. Ces mots, appelés *postpositions,* peuvent être des mots ayant un autre usage bien connu. Comme en français avec le mot faire : *faire vite, faire bien, faire affaire, faire pitié, faire riche, faire désordre.* C'est chaque fois le mot rajouté qui donne le vrai sens à l'expression totale. Par cette composition, il est possible de conférer au verbe un efficace degré de concision, de flexibilité et d'expressivité.

He is throwing up down into the sea thru* the porthole**.

Il vomit à la mer par le hublot.

🖐* Créez vos phrases ci-après avec les postpositions **in, up, out of, down, through.**

Elle monte l'escalier quatre à quatre. (to run)	
Il descend le fleuve à la nage. (to swim)	
Je me hâte pour traverser le groupe. (to hurry)	
Tu sors de l'hôtel à reculons. (to back)	
Ils entrent à pas lents dans l'église. (to walk slowly)	

Le verbe y gagne en <u>précision</u> et en <u>concision</u> :

Get in !	*Entre !*
Get out !	*Sors !*
Go away !	*Va-t-en !*
Walk down !	*Descends ! (à pied)*
Shut up !	*La ferme ! Ta gueule !*

---

* Orthographe américaine parfaitement acceptable en globish, à égalité avec son équivalent britannique **through.**

** Littéralement, peu ou prou, « le trou donnant sur le port ». Composé de deux mots du globish, il est considéré comme acceptable. Mais en bonne expression globish, il conviendrait de le compléter par redondance : « The round window in the side of the ship. »

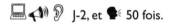 J-2, et 🗣 50 fois.

Le sens du verbe est <u>modifié</u> :

She cut her finger with a knife. But my finger was cut off by the machine.	*Elle s'est coupée au doigt avec un couteau. Mais mon doigt a été sectionné par la machine.*
She takes off her coat, and then she puts on her jacket.	*Elle enlève son manteau, et ensuite elle enfile sa veste.*
He reads over the report.	*Il survole le rapport.*
She passed out when she heard that her cat had passed away.	*Elle s'est évanouie quand elle a appris que sa chatte était morte.*

Un verbe de position devient verbe de mouvement :

Grandpa **is standing** in the garden. He **sits down.** Now, he **is sitting** under a tree.		
Is sitting down	>	*Grand-père est en mouvement*
Is standing, is sitting	>	*Il est immobile*

Il y a quatre attitudes fréquentes :

Position	**Mouvement**
To stand (*être debout*)	To stand **up** (*se lever, se dresser*)
To sit (*être assis*)	To sit **down** (*s'asseoir*) To sit **up** (*s'asseoir, se redresser*)
To lie (*être allongé*)	To lie **down** (*s'allonger*)
To hang (*être suspendu*)	To hang **up** (*suspendre*)

🗣 Créez vos phrases en traduisant :

Je suis allongé sur le sofa.	I lie on the sofa.
Je me lève.	
Je suis debout.	
Je tombe par terre.	I fall down to the ground.
Je m'assieds sur le sol.	
Je me lève.	
Je suis debout.	
Je m'assieds sur une chaise.	

💻 🔊 🗣 J-3, et 🗣 50 fois.

Le second élément (la postposition) devient <u>prépondérant</u>, il indique clairement <u>l'action</u>. Le premier élément (le verbe) n'indique que la <u>manière</u> dont s'effectue l'action.

I walk up		à pied
I run up		
I swim up	Je (re)monte	
I climb up		
I drive up		

💻 🔊 🗣 J-4, et 🗣 50 fois.

LE VERBE « À TOUT FAIRE » LE PLUS UTILE, À CONDITION DE L'AMÉLIORER : *TO GET*

1. Sens de base, sans la précision d'une postposition : « I must **get** some gas (GB : petrol) » = *obtenir, se procurer, acheter.*

2. « In autumn, the trees **get** yellow » : transformation = jaunir (*devenir jaune*). **To get old** : *vieillir* (*devenir vieux*), **to get warm** : *se réchauffer,* **to get angry** : *se mettre en colère.* **To get +** n'importe quel adjectif…

3. « **Get** out of here ! » décrit un mouvement dont le sens n'est précisé que par le « out of » qui suit **get**. Voir aussi **get in** : *entrer,* **get down** : *descendre,* **get up, get again, get across, get along, get on, get at, get away,** etc. **To get +** la plupart des adverbes ou prépositions.

BONUS DE L'ÉTAPE : *TH* ET *TH*

Comparaison et différences : th vigoureux et t

thank	**thàngk**	tank	**tànk**
through	**thrü**	true	**trü**
thin	**thìn**	tin	**tìn**
thick	**thìk**	tic	**tìk**
three	**thrë**	tree	**trë**

Le th vigoureux (**th**) se prononce en collant les bords de la langue à l'intégralité des dents de la mâchoire supérieure : si vous laissez filer juste ce qu'il faut d'air en essayant de dire **sing** (*chante*), vous aurez dit **thing** (*chose*).

Comparaison et différences : th adouci et d

they	**dhä**	day	**dä**
their	**dhêr**	dare	**dêr**
though	**dhö**	dough	**dö**
than	**dhàn**	dan	**dàn**
then	**dhèn**	den	**dèn**

Pour le th adouci (**dh**), observez comment vous dites **brother** à la parisienne, avec le bout de la langue touchant les incisives du bas. Redites-le en touchant cette fois-ci juste les deux incisives du haut, vous n'en serez pas loin.

☺☞ Si vous n'y parvenez vraiment pas, prononcez le **th** adouci comme un « d ». Dans certains milieux de New York, que vous ne rencontrerez sans doute pas souvent, cette entorse est habituelle : « dis heah is ma bruddah » (this here is my brother), *voici mon frère*. Sur le **th** vigoureux, pas d'autre option…

CURIOSITÉ ANGLORICAINE : BONJOUR, AU REVOIR

« Hello, old chap ! » (GB)   **« Hi, you guys ! » (USA)**
« Salut, vieille branche ! »   *« Salut tout le monde ! »*
                                     « Salut les mecs ! »

◆   Good morning !
◆   Good afternoon !

◆   Good evening !

◆   Good night ! (Se dit dans la soirée et pas seulement au moment du coucher.)

Pour prendre congé :

◆   Good bye ! – Bye bye ! – Bye !

◆   Take care of yourself ! ou simplement : Take care ! Affectueux : *Fais attention ! (à toi)*.

◆   I will see you tomorrow ! – See you tomorrow ! – See you ! – See you next week !

◆   Sur Internet : « CU » (équivalent de notre A+) ; revoir éventuellement la prononciation des lettres aux étapes Charlie (page 93) et Uniform (page 221).

◆   En fin de courrier : « OXOX » pour « hugs and kisses » (*étreintes et bisous*). Et pour les tendres, « LUV », prononcé « love » (*je t'aime*), mais qui se dit par simple amitié, sans connotation amoureuse.

LA CHANSON DE L'ÉTAPE

« Itsy Bitsy Yellow Polka-dot Bikini »

🖥️ 📢 👂 www.jpn-globish.com, 🗣️ pratiquez toute la semaine.

Étape K {👄 kä}, Kilo* {👄 kë lö}

LES SONS À MAÎTRISER

Symbole : **jh**	Symbole : **ng**
vision : 👄 **vijh** ∂n	string : 👄 **strìng**

📖	👄	📖	👄
usual	**yü** jhü ∂l	building	**bìl** dìng
television	**tèl**_∂ **vìjh** ∂n	single	**sìng** g∂l
measure	**mèjh** ∂r	spring	**sprìng**
sabotage	**sàb** ∂ **tâjh**	nothing	**nùth** ìng
treasure	**trèjh** ∂r	bring	**brìng**
vision	**vìjh** ∂n	during	**dyür** ìng
version	**vèr** jh∂n	finger	**fìng** g∂r
		congress	**kòng** grìs
		blanket	**blàng** kìt
		angry	**àng** grë
		among	∂ **mùng**
		language	**làng** gwìdj
		strong	**stròng**
		hang	**hàng**
		wrong	**ròng**
		bank	**bàngk**

---

* Préfixe d'origine grecque signifiant « mille » ou « mille fois ». Contribution française à cet alphabet, puisque ce sont les savants de l'Hexagone qui lui ont donné une éternité tardive en l'utilisant avec clairvoyance lors de la création du système métrique.

www.jpn-globish.com, chapitre K-1, et 🗣.

JE NIE, JE DIS LE CONTRAIRE

> **<u>You're not</u> wrong. <u>I did</u> nothing unusual,**
> **but <u>he won't</u> accept this version of things.**
>
> *Tu n'as pas tort. Je n'ai rien fait d'inhabituel,*
> *mais il n'acceptera pas cette version des choses.*

Il suffit d'ajouter **not** après l'auxiliaire, ou :

☺☞ Solution globish : utiliser **never** (*jamais*) sans modifier la forme affirmative du verbe, quand c'est approprié pour le sens, ou tout autre mot négatif comme **none, nothing, nowhere…**

Affirmation	Négation	☺👍 Solution globish
We are visiting Rome.	We aren't visiting Rome.	She never loved Capri.
She loved Capri.	She didn't love Capri.	
I have to follow you.	I don't have to follow you.	
He sabotaged the car.	He didn't sabotage the car.	He never sabotaged the car.
We are flying to NYC.	We aren't flying to NYC.	
They were appointed.	They weren't appointed.	They were never appointed.
She had lived here long.	She hadn't lived here long.	
They have small change.	They don't have small change.	They never have small change.
I have finished.	I haven't finished.	
You drink wine.	You don't drink wine.	You never drink wine.
Our friends arrived…	Our friends didn't arrive…	
The gondolier sings…	The gondolier doesn't sing…	The gondolier never sings…

La négation peut être renforcée en ajoutant **any** devant le mot concerné, ou **at all** en fin de phrase. Les deux signifient « (pas) du tout ». Tous ces mots peuvent se combiner et s'ajouter les uns aux autres :

He has employees.	He does not have any employee.	Il n'a aucun employé.
She drinks wine.	She does not drink any wine.	Elle ne boit pas de vin du tout.
I have not accused.	I have not accused at all.	Je suis loin d'avoir accusé.
They weren't punished.	They weren't punished at all.	Ils n'ont pas eu la moindre punition.
She does not drink wine.	She never drinks any wine at all.	Elle ne boit absolument jamais de vin.

JE POSE UNE QUESTION

<u>**Are you**</u> **right ?** <u>**Was I**</u> **really involved ?**
<u>**Do you believe**</u> **it ?**

As-tu raison ? Étais-je vraiment impliqué ?
Est-ce que tu le crois ?

Le procédé est simple : pas de formules contournées, comme notre pratique et peu élégant « est-ce que ». <u>La question commence par un auxiliaire</u>, quel qu'il soit. C'est tout.

Logique anglaise : tout cela est bien beau, mais quelle est la solution quand la phrase positive ne comporte pas d'auxiliaire ? Faudra-t-il une exception, comme celles dont le français fait un (trop) grand usage ? Non, un auxiliaire de secours permettra <u>une seule construction</u> pour <u>toutes</u> les situations. Cet auxiliaire sera le verbe au sens le plus large et le plus flou de la langue anglaise : **DO (DOES** ou **DID)**.

Affirmation	*Interrogation*
We are visiting Rome.	Are we visiting Rome ?
She loved Capri.	Did she love Capri ?
I have to follow you.	Do I have to follow you ?
He sabotaged the car.	Did he sabotage the car ?
We are flying to NYC.	Are we flying to NYC ?
They were appointed.	Were they appointed ?
She had lived here long.	Had she lived long here ?
You drink too much.	Do you drink too much ?
The gondolier sings well.	Does the gondolier sing well ?
Our friends arrived late.	Did our friends arrive late ?

À voix haute 🗣, créez 20 phrases affirmatives, négatives et interrogatives, selon les modèles ci-dessus, en utilisant les mots qui illustrent les sons de l'étape.

🖥 🔊 👂 K-2, et 🗣.

BONUS DE L'ÉTAPE : *either… or… / neither… nor…*

He can __either__ work as an employee, __or__ start his own business.

Il peut __soit__ travailler comme salarié, __soit__ lancer sa propre entreprise.

He didn't go to school : he can __neither__ read __nor__ write.

Il n'est jamais (pas) allé à l'école :
il ne sait __ni__ lire __ni__ écrire.

George cannot swim, I can't either.

Georges ne sait pas nager, moi non plus.

CURIOSITÉ ANGLORICAINE : LES IMMEUBLES ANGLAIS ET AMÉRICAINS

États-Unis	*Grande-Bretagne*
An apartment building	A block of flats
The elevator	The lift
Third floor (story)	Second floor (storey)
Second floor (story)	First floor (storey)
First floor (story)	Groundfloor

Attention : le rez-de-chaussée s'appelle *premier étage* aux États-Unis (les Américains parlant de leur pays disent **the States,** les Québécois en parlent volontiers en disant *les États*). Les immeubles sans treizième étage ne sont pas rares, en particulier à Las Vegas, où la superstition en écarterait les clients amateurs de roulette et de black-jack.

LA CHANSON DE L'ÉTAPE

« They can't take that away from me »

🖥️ 🔊 𝄢 www.jpn-globish.com, 🗣 pratiquez toute la semaine.

Étape L {👄 èl}, Lima* {👄 lì mə}

LES SONS À MAÎTRISER

Symbole : **sh**	Symbole : **tch**
rush : 👄 **rùsh**	chat : 👄 **tchàt**

📖	👄	📖	👄
brush	**brùsh**	branch	**bràntch**
convention	kən **vèn** shən	catch	**kàtch**
crush	**krùsh**	century	**sèn** tchə rë
insurance	ìn **shür** əns	chairman	**tchêr** mən
nation	**nä** shən	chase	**tchäs**
ocean	**ö** shən	march	**mârtch**
official	ə **fish** əl	chief	**tchëf**
position	pə **zìsh** ən	child	**tchïld**
pressure	**prèsh** ər	church	**tchèrtch**
radiation	**rä** dë **ä** shən	creature	**krë** tchər
recession	rì **sèsh** ən	culture	**kùl** tchər
relation	rì **lä** shən	each	**ëtch**
special	**spèsh** əl	future	**fyü** tchər
statue	**stàtch** yü	natural	**nàtch** rəl
publish	**pùb** lìsh	picture	**pìk** tchər
sharp	**shârp**	purchase	**pèr** tchəs

---

*   Nom de plusieurs villes du Nouveau Monde, et surtout capitale du Pérou
    où le Conquistador Francisco Pizarro fut assassiné en 1541.

🖥️ 📢 👂 L-1, et 🗣️.

J'INTERROGE À PROPOS DU PASSÉ

When did you publish your first book ?

- I published it in March.

How long have you been with this company ?

- I have been with it for three and a half years.

Since when have you been going to church ?

- I have been going to church since I was five.

Cette interrogation se construit :

◆ en choisissant le mot ou le groupe de mots interrogatifs appropriés (**when, how long, since, when, why,** etc.).

◆ en définissant le temps et la forme du verbe que vous utiliseriez pour poser une négation (« you **did not** buy this car », « you **have not** driven this car for three months », « you **have not** driven this car since June »).

◆ en passant à l'interrogation par suppression de la négation, et positionnement de l'adverbe (**you**) après le verbe au lieu de l'avoir avant.

Exercice

Here is a story : « I started smoking this pipe when I was 30 years old, and I am now 45. »

Posez trois questions :

◆   **When** (to start smoking) _____ ?

◆   **How long** (to smoke) _____ ?

◆   **Since when** (to smoke) _____ ?

Another story : « U.S. President Jefferson purchased Louisiana from France in 1803. »

◆   **When** (to purchase) _____ ?

◆   **How long** (to belong) _____ ?

◆   **Since when** (to belong) _____ ?

And a last one : « A speeding fine last month (to get). (60 mph [miles per hour]) instead of 30.) Suspension of my driver's licence for a month. I'm not driving. »

◆   **When** (to get) _____ ?

◆   **How long** (to suspend) _____ ?

◆   **Since when** (to suspend) _____ ?

🖥 🔊 🎧 L-2, et 🗣 50 fois.

Bonus de l'étape : les noms collectifs

Ils désignent un ensemble d'objets. Pour indiquer un seul objet au sein de leur ensemble, on a recours à **a piece of**.

Sens collectif	Sens individuel
my furniture is new *mes meubles sont neufs*	**a piece of furniture** *un meuble*
this information is true *ces renseignements sont exacts*	**a piece of information** *un renseignement*
your advice is interesting *tes conseils sont intéressants*	**a piece of advice** *un conseil*
Central Intelligence Agency, Intelligence Service *(services de renseignements)*	**a piece of intelligence** *un renseignement secret*
the news is good *les nouvelles sont bonnes*	**a piece of good news** *une bonne nouvelle*

Les mots comme **mathematics** sont singuliers : « physics **is** his favorite subject », economics, electronics, astronautics, nucleonics…

CURIOSITÉ ANGLORICAINE : IL ÉTAIT UNE FOIS

Once upon a time, in the town of Foix…
Il était une fois dans la ville de Foix…

◆ Once (×1), twice (×2), three times, four times…

◆ Many times, several times, sometimes, etc.

Attention :

I am 60 years old and she is only 30 : I am twice <u>as</u> old <u>as</u> she is.
(Je suis deux fois <u>plus</u> âgé <u>qu</u>'elle.)

LA CHANSON DE L'ÉTAPE

« Sweet Caroline »

🖥️📢 🗣️ www.jpn-globish.com, 🗣️ pratiquez toute la semaine.

Étape M {👄 èm}, Mike* {👄 mïk}

LES SONS À MAÎTRISER

Symbole : **à**	Symbole : **ä**
snack : 👄 **snàk**	cake : 👄 **käk**

📖	👄	📖	👄
accident	**àk** sə dənt	celebrate	<u>**sèl**</u> ə **brät**
activist	**àk** tə vìst	campaign	kàm **pän**
imagine	ì **màdj** ən	contain	kən **tän**
magazine	**màg** ə <u>**zën**</u>	detail	dì **täl**
balance	**bàl** əns	explain	èk **splän**
capture	**kàp** tchər	mistake	mìs **täk**
ash	**àsh**	candidate	<u>**kàn**</u> də **dät**
factory	**fàk** tə rë	potato	pə **tä** tö
finance	**fï** nàns	always	ôl **wäz**
diplomat	<u>**dìp**</u> lə **màt**	violate	<u>**vï**</u> ə **lät**
elastic	ì **làs** tìk	station	**stä** shən
anarchy	**àn** ər kë	patient	**pä** shənt
evaporate	ì <u>**vàp**</u> ə **rät**	nominate	<u>**nòm**</u> ə **nät**
atmosphere	**àt** məs **fër**	mayor	**mä** ər
answer	**àn** sər	case	**käs**
barrier	**bàr** ë ər	female	**fë** mäl

---

* Surnom abrégé de nombreuses personnes nommées Michel, l'archange
« semblable à Dieu ». L'un des deux monosyllabes de cet alphabet.

 M-1, et 🗣.

Ce dont je parle avait commencé dans le passé, mais n'était pas terminé au moment (passé) où je me place pour en parler : le verbe au passé récapitulatif

> **The secretary <u>had already come with</u> the documents by the time the Directors arrived for the meeting.**
>
> *La secrétaire était déjà venue avec les documents quand les administrateurs sont arrivés pour la réunion.*

Nous avons ici les mêmes structures qu'à l'étape Hotel. Mais maintenant, le récit se situe dans le passé*. Cette conjugaison correspond à notre plus-que-parfait. *J'avais travaillé :* **I had worked.**

Cette forme du verbe explique que deux actions ou événements ont pris place :

◆ **Tous les deux appartiennent au passé (verbe en « -ed » et auxiliaire HAD).**

---

* Et non plus au présent, qui nous ferait dire : « The Directors arrive, but the secretary has come with the documents already » (*Les administrateurs arrivent, mais la secrétaire est déjà venue avec les documents*).

◆ L'une est ponctuelle : l'arrivée des administrateurs (contrairement à leur occupation des lieux, non évoquée ici, qui impliquerait une continuité).

◆ L'autre action récapitule une réalité encore valide au moment où se place l'observateur (il se place au moment de l'entrée des administrateurs ; il évoque l'arrivée antérieure de la secrétaire avec les documents, et nous indique qu'elle était toujours présente).

🎙 *Créez vos phrases :*

Shortly after I arrived at the Company Headquarters,	I realized that I (to forget my computer in the taxi)	
Before the visitors arrived,	the hotel manager (to prepare the rooms)	
As soon as we arrived in the conference room,	we discovered that the projector (to be forgotten)	
Before organizing the meeting,	the team (to gather) the necessary information	

💻 🔊 🎧 M-2, et 🎙 50 fois.

He had driven this car for six years when he sold it.

Il avait roulé dans cette voiture pendant six ans, quand il l'a vendue.

☺ ↪ Solution globish : « He had driven this car for six years, and then he sold it. »

🗣 Créez vos phrases :

We (to wait for two days on a wreck)	when a helicopter (to rescue) us	
They (to drive for two hours)	when (to reach) a gas station	
Bob and Fran (to stay in the hotel) three days	when they (to decide to go to Capri)	
Fred (to work) in the factory for 6 years	when he (to be fired)	

🖥 🔊 👂 ⑨ M-3, et 🗣 50 fois.

CE DONT JE PARLE AVAIT COMMENCÉ DANS LE PASSÉ, N'ÉTAIT PAS TERMINÉ AU MOMENT DU PASSÉ OÙ JE ME PLACE POUR EN PARLER, ET AVAIT JOUI D'UNE DURÉE NOTABLE : LE VERBE AU PASSÉ DE CONTINUITÉ RÉCAPITULATIF

> **I <u>had been</u> patiently <u>answering</u> their questions for half an hour, when you called.**
>
> *Je répondais patiemment depuis une demi-heure à leurs questions quand tu as appelé.*

☺ ☞ Solution globish : « I had been answering their questions with great patience for thirty minutes, and you called. »

La forme de continuité en **TO BE + -ing** a été vue au présent à l'étape Bravo (**I am -ing**), puis au passé sans rétrospection à l'étape Delta (**I was -ing**), et en récapitulation arrêtée à l'instant présent à celle d'India (**I have been -ing**). Ici, elle insiste aussi sur la durée, la continuité de l'action évoquée (forme en **-ing**) ; et elle ne se place plus du point de vue du présent, mais d'un instant appartenant au passé (**HAD** en auxiliaire, et non plus **HAVE**).

 Créez vos phrases :

We (to debate) for two hours	when we (to reach an agreement)	
He (to advertise the house for three years)	before he (to sell it)	
She (to study) law for 7 years	before she (to become) a judge	

www.jpn-globish.com, chapitre M-4, et .

Bonus de l'étape : l'âge et la mesure

How old is the President ? He is 70 years old.
Quel âge a le directeur général ? Il a 70 ans.

1942 : 10 years old	How old were you in 1942 ? I was 10 years old in 1942.
2005 : 25 years old	How old will you be in 2010 ? I will be 30 years old in 2010.

Ce même type de construction s'applique également aux dimensions (en effet, on peut dire *« I measure the room »*, mais on ne peut pas dire *« The room measures… »*).

How long is the room ? The room is 25 feet long.

On emploiera alors les adjectifs **long, wide** (*large*), **high** (*haut*), **deep** (*profond*), **thick** (*épais*).

A deep river (10 feet)	How deep is the river ? The river is 10 feet deep.
A wide road (30 feet)	How wide is the road ? It is 30 feet wide.
The Eiffel Tower (1,000 feet)	How high is the Eiffel Tower ? It is one thousand feet high.

Curiosité angloricaine : les doigts

Comment s'appellent vos doigts ? Le pouce (**thumb**) est le plus gros. Puis il y a l'index (**forefinger**) et le médius (**middle finger**). Ensuite vient l'annulaire (**ringfinger,** même pour les célibataires). Enfin, *le dernier et non le moindre* (« *last but not least* ») l'auriculaire (**earfinger,** aussi appelé **pinkie** ou **little finger**).

Par conséquent, quand vous quittez votre domicile le matin, n'oubliez pas de :

#1 (pinkie) : verrouiller la porte d'entrée ;

#2 (ringfinger) : nourrir le chien ;

#3 (middle finger) : monter en voiture ;

et ainsi de suite (« *and so on* »)…

En angloricain, le signe # équivaut à notre « n° » (numéro). Ce signe, semblable à notre dièse musical, s'obtient en activant sur le clavier la touche désignée « *pound key* » chez les Américains et « *hash key* » chez les Britanniques (qui ont déjà, par ailleurs, le signe « *£* » pour leur monnaie, « *the pound* »).

La chanson de l'étape

« *Over the Rainbow* »

⌨ 🔊 👂 www.jpn-globish.com, 🗣 pratiquez toute la semaine.

Étape N {👄 èn},
November* {👄 nö vèm b∂r}

LES SONS À MAÎTRISER

Symbole : **â**	Symbole : **êr**
star : 👄 **stâr**	chair : 👄 **tchêr**

📖	👄	📖	👄
argue	**âr** gyü	hair	**hêr**
army	**âr** më	bury	**bêr** ë
artillery	âr **tìl** ∂r ë	air	**êr**
charge	**tchârdj**	experiment	èk**spêr**∂m∂nt
disarm	dìs **ârm**	library	**lï** br∂ rë
guarantee	**gàr** ∂n të	military	**mìl** ∂ **têr** ë
guard	**gârd**	necessary	**nès** ∂ **sêr** ë
harmony	**hâr** m∂ në	parent	**pêr** ∂nt
heart	**hârt**	terrible	**têr** ∂ b∂l
market	**mâr** kìt	territory	**têr** ∂ tô rë
parliament	**pâr** l∂ m∂nt	fair	**fêr**
party	**pâr** të	theirs	**dhêrz**
radar	**rä** dâr	where	**wêr**
starve	**stârv**	wear	**wêr**

---

* Notre novembre, le onzième mois de l'année, tire son nom du fait qu'il
   était le neuvième dans l'année romaine.

| law | **lâ** | compare | kƏm **pêr** |
| sharp | **shârp** | declare | dì **klêr** |

 N-1, et 🗣.

J'EXPRIME LA POSSESSION

Vous seriez compris avec :	***Mais il vaut mieux dire :***
The leg of this Miss	This Miss' leg
The leg of this boy	This boy**'s** leg
The leg of the table	**The leg of the table**
The legs of the children	The children's legs
The legs of the cats	The cats**'** legs
The leg of who ?	**Whose** leg… ?

En anglais, le propriétaire, qui détermine le reste, est toujours placé avant le possédé, le déterminé. En français, c'est le plus souvent l'inverse : vous diriez *la jambe de Bob,* plaçant après le mot « jambe » les mots qui indiquent à qui appartient la jambe (à Bob). Mais vous diriez aussi *le chat mange sa soupe,* et le mot « sa », qui indique à qui appartient la soupe, est maintenant situé avant le mot « soupe ». En anglais, et donc en globish, ce mot, toujours situé avant celui qu'il détermine, peut aussi être un nom (et cela uniquement dans le cas où ce nom désigne un être vivant). Comme il devient ainsi un déterminant, il précède logiquement, comme toujours, ce qu'il veut déterminer. Pour être correct, vous emploieriez ici le *cas possessif,* qui n'a pas d'équivalent dans notre langue. C'est :

◆ le nom suivi de l'apostrophe → **'**, si la dernière lettre de ce mot est un « **s** », par nature ou par pluriel ;

◆ le nom prolongé de → **...'s**, si la dernière lettre de ce mot n'est pas un « **s** » mais une autre lettre, au singulier comme au pluriel ;

◆ ajouter **own** souligne le caractère particulier et personnel de la propriété (« *Princess Mary's own tenth Gurkha rifles* », *le dixième régiment de carabiniers Gurkha de la princesse Mary*).

🗣 Créez vos phrases :

(The wife of the chairman) = _____

(The car of the guide) = _____

(The car of my friends) = _____

(The toilet of the men) = _____

(The car of who is it ?) = _____

Où sont les vélos des enfants ? _____

Quel est le nom du chauffeur ? _____

C'est la chambre de M. Martin. _____

De quelle marque est la voiture de Joe ? _____

La voiture de qui utilises-tu ? _____

Je ne connais pas les amis des otages. _____

💻 🔊 👂 N-2, et 🗣 50 fois.

Je dis : « chez les Miller »

> **I am on my way <u>to the doctor's</u>.**
> *Je me rends chez le docteur (le cabinet du docteur).*
>
> **We are going to have dinner <u>at the Millers'</u>.**
> *Nous allons souper chez les Miller (à leur domicile).*

Mise en œuvre de la même construction, mais en oubliant de faire figurer le mot qui a été déterminé par ce cas possessif, et qui semble superflu (*« at the Millers' home »*). S'applique dans tous les cas où il est possible d'identifier l'être humain dont il est question, ou quelque chose qui s'y apparente. Ne marche pas pour *« bookshop »* (la librairie), par exemple.

◆   Si j'y vais : I am going **to** the doctor's.

◆   Si j'y suis : I am **at** the doctor's.

◆   Si j'en viens : I come **from** the doctor's.

Domiciles, églises, hôpitaux, sites, tout ce qui est désigné par quelque chose qui pourrait être vivant bénéficie de la même construction :

◆   I am going **to St Patrick's** (cathedral)

◆   **to St Andrew's** (hospital)

◆   **to St Michael's Mount** (France or Cornwall)

Noter qu'en anglais le pluriel de Miller est **the Millers**. Les noms propres y prennent le pluriel, contrairement au français.

🗣 Créez vos phrases avec les mots qui illustrent les sons de l'étape.

🖥 🔊 🗣 N-3, et 🗣 50 fois.

BONUS DE L'ÉTAPE : LE CHAPEAU SUR LA TÊTE, OU MON CHAPEAU SUR MA TÊTE ?

> **The men came into the room with their hands in their pockets and their hats on their heads.**
> *Les hommes entrèrent dans la pièce, les mains dans les poches et le chapeau sur la tête.*

Dans le même ordre d'idée :

I am washing my hands.	*Je me lave les mains.*
They scratch their heads.	*Ils se grattent la tête.*
She brushes her teeth.	*Elle se brosse les dents.*

CURIOSITÉ ANGLORICAINE : LES OUTILS ANGLO-SAXONS

« Hi Mechanics ! »
« Salut, les mécanos ! »

Clés anglaises et clés métriques.

Les clés anglaises sont d'un pouce (**one inch**), d'un demi-pouce, puis d'un quart de pouce, d'un huitième de pouce, d'un seizième de pouce (*« sixteenth of an inch »,* appelée à tort plus communément « sixteen »...).

Par exemple : **Give me a nine-sixteen** (en fait : *« a nine-six-teenths-of-an-inch wrench »*), *Passe-moi une clé de quatorze (mm).*

A wrench = une clé de serrage.

Consigne importante : ne pas tomber en panne en Europe avec une voiture *made in USA* et de l'outillage français !

Mais il faut observer que les Américains en viennent de plus en plus au système métrique, d'emploi et d'énonciation plus aisés, et qui a pour fraction élémentaire le millimètre. Car dans leur système, la plus petite dimension est le 16e de pouce, soit 1,6 mm. Ses dénominations successives, en tailles croissantes sont, à partir de sa plus petite fraction : 1/16, 1/8, 3/16, 1/4, 5/16, 3/8, 7/16, 1/2, 9/16, 5/8, 11/16, 3/4, 13/16, 7/8, 15/16.

Donc, 3 pouces et 5/16 moins 1 pouce 7/8 égale... ? Réponse : 3,65 cm. Essayez de le faire mentalement... !

LA CHANSON DE L'ÉTAPE

« Do Re Mi — The Sound of Music »

🖥️ 🔊 🎶 www.jpn-globish.com, 🗣️ pratiquez toute la semaine.

Étape O {👄 ö}, Oscar* {👄 òs kər}

LES SONS À MAÎTRISER

Symbole : è	Symbole : ë
best : 👄 **bèst**	speed : 👄 **spëd**

📖	👄	📖	👄
already	ôl **rèd** ë	decrease	dì **krës**
president	**prèz** ə dənt	believe	bì **lëv**
recognize	**rèk** əg nïz	between	bì **twën**
certain	**sèr** tən	automobile	**ò** tə mə **bël**
chemical	**kèm** ə kəl	democracy	dì **mòk** rə së
technical	**tèk** nə kəl	factory	**fàk** tə rë
desert	**dèz** ərt	extreme	èk **strëm**
eleven	ì **lèv** ən	engineer	èn djə **nër**
collect	kə **lèkt**	astronomy	əs **tròn** ə më
fertile	**fèr** təl	industry	**ìn** dəs trë
condemn	kən **dèm**	immediate	ì **më** dë ìt
ceremony	**sèr** ə **mö** në	quality	**kwòl** ə të
delicate	**dèl** ə kìt	economy	ì **kòn** ə më
develop	dì **vèl** əp	society	sə **sï** ə të
electricity	ì **lèk trìs** ə të	treatment	**trët** mənt
embassy	**èm** bə së	serious	**sër** ë əs

---

* Prénom tiré du nom d'une divinité d'Europe septentrionale porteuse d'une lance. De nos jours, haute récompense décernée annuellement aux États-Unis par l'Académie des arts et sciences du cinéma.

🖥️ 🔊 𝄞 O-1, et 🗣️.

J'EXPRIME UNE IDÉE RELATIVE AU FUTUR :
LE VERBE AU FUTUR DE BASE

> **Tomorrow morning, I'll resign from my current position, and I'll need to find another job.**
> *Demain matin, je remettrai ma démission de mon poste actuel, et j'aurai besoin de me trouver un autre emploi.*

À un moment du futur, cela se produira…

Affirmation	*Négation*	*Interrogation*
I'll go	I won't go	Will I go ?
He'll recognize	He won't recognize	Will he recognize ?
She'll collect	She won't collect	Will she collect ?
It'll violate	It won't violate	Will it violate ?
We'll decide	We won't decide	Will we decide ?
You'll explain	You won't explain	Will you explain ?
They'll believe	They won't believe	Will they believe ?

<u>Formes contractées</u> à toutes les personnes pour les formes affirmatives et négatives :

will = **'ll,** will not = **won't**

<u>Forme pleine</u> de **WILL** pour la conjugaison interrogative. Exemples :

Will I be your guide in this town ? *Serai-je ton guide ?*

Will we have lunch together ? *Déjeunerons-nous ensemble ?*

🗣 Créez vos phrases en mettant ces expressions au futur :

The meeting was short.	
Which car do you choose ?	
It isn't a fertile land.	
They had a president.	
It is a serious problem.	
The company doesn't develop this product.	

Questions ouvertes

What will he do tomorrow ? (fly to Milan)	
Whose car will you take ? (Bob's)	
Where will Tom sleep ? (hotel)	
When will you invite me ? (tomorrow)	

Questions oui/non

Will you eat now ?	yes	
Will Ron join us ?	no	
Will the factory ship the goods tomorrow ?	yes	
	no	
Will the clients wish to see the new plant ?	yes	
	no	
Will the engineer believe this ?	yes	
	no	

⌨️ 🔊 👂 O-2, et 🗣.

🗣 Créez vos phrases en répondant « No », et en formulant la proposition opposée. Exemples :

Will Bob help you ? Bob will, but his brother won't.

☺️☞ En globish élémentaire : Bob yes, his brother no.

Will she come at 9 ?	no, 10:00	She won't come at 9, but she will at 10
Will Bob understand us ?	Fred	
Will you cheer for NY ?	Detroit	
Will he shut the door ?	window	
Will they leave now ?	later	

☺️☞ Solution globish : vous exprimez le futur en utilisant le présent de base :

The plane takes off at 10 o'clock.
L'avion décolle(ra) à 10 heures.

I get married to Harry next month.
J'épouse(rai) Harry le mois prochain.

Les horaires à venir ne sont donnés qu'avec le présent de base.

J'ÉVOQUE, DANS LE FUTUR, UNE CIRCONSTANCE QUI AURA UNE DURÉE, UNE CONTINUITÉ : LE VERBE AU FUTUR DE CONTINUITÉ

> **Tomorrow, at this time, <u>I will be flying</u> to Montreal.**
> *Demain, à cette heure-ci, je serai en route pour Montréal*
> *(je serai dans l'avion de Montréal).*

L'action sera <u>en train de se dérouler</u> dans l'avenir, elle aura une durée, une continuité.

 Créez vos phrases :

Next month	The new unit (to start production)	
On Saturday	I (to visit the new plant)	
Tomorrow	She (to work in a new office)	
After their long business trip	They (to have a rest)	

O-3, et .

BONUS DE L'ÉTAPE : *TO BE USED TO, TO GET USED TO*

Pour exprimer l'accoutumance, la familiarité avec :

When I was a young man, I drove a Land Rover. I was used to it.	*J'étais habitué à…*
I've just traded it for a new SUV*. I can't find all the controls. I am not used to it.	*Je ne suis pas habitué à…*
Gradually, I am getting used to this new car. In fact, I am used to it now.	*Je m'habitue à…*

*   SUV, en américain = **Sport Utility Vehicle,** ou le VUS (véhicule utilitaire sport) au Québec. Notre 4x4 se dit aussi **four wheel drive.**

At a crossroads near my place (house), the traffic-lights have just been replaced by a roundabout.	*Au carrefour près de chez moi, ils ont remplacé les feux par un rond-point.*
→ I was used to the traffic lights.	
→ I am not used to the new traffic circle.	
→ I'm progressively getting used to the new roundabout.	

Également pour exprimer l'habitude, la coutume, la répétitivité :

When I was on holiday, I <u>used to</u> get up at ten o'clock.	*Quand j'étais en vacances, <u>je me levais habituellement</u> à dix heures.*

Négation

When I was young, I <u>didn't use</u> to travel.

Interrogation

<u>Did you use to</u> drink whisky while you were staying in Dublin ?

CURIOSITÉ ANGLORICAINE :
L'EXPRESSION DE LA TENDRESSE

Comment s'adresser à la femme de sa vie ? (to address Paul : *s'adresser à Paul*) :

« Sweetheart, how about a Porsche for Valentine's Day ? »

Honey ! – Sugar ! – Sugar-pie !

(Tout ce qui est d'une saveur sucrée exprime aussi la tendre affection, comme le *petit chou,* forcément à la crème en français.)

LA CHANSON DE L'ÉTAPE

« Moon River »

🖥️📢🦻 www.jpn-globish.com, 🗣️ pratiquez toute la semaine.

Étape P {👄 pë}, Papa* {👄 pâ pə}

LES SONS À MAÎTRISER

Symbole : ì	Symbole : ï
pin : 👄 pìn	light : 👄 lït

📖	👄	📖	👄
billion	**bìl** yən	behind	bì **hïnd**
important	ìm **pôr** tənt	combine	kəm **bïn**
business	**bìz** nìs	describe	dì **scrïb**
history	**hìs** tə rë	crisis	**krï** sìs
innocent	**ìn** ə sənt	tonight	tə **nït**
injure	**ìn** djər	frighten	**frït** ən
before	bì **fôr**	organize	**ôr** gən ïz
equipment	ì **kwìp** mənt	invite	ìn **vït**
listen	**lìs** ən	crime	**krïm**
individual	ìn də **vìdj** ü əl	compromize	**kòm** prə **mïz**
physical	**fìz** ə kəl	smile	**smïl**
subject	**sùb** djìkt	criticize	**krìt** ə sïz
judge	**djùdj**	exile	èg **zïl**
enough	ì **nùf**	identity	ï **dèn** tə të

---

* Terme enfantin assez universellement répandu dans les langues de souche indo-européennes pour désigner le monsieur dont les fructueux élans d'autrefois vous auront permis de lire cette note.

emotion	ì **mö** sh∂n	island	**ï** l∂nd
little	**lìt** ∂l	minor	**mï** n∂r

 P-I et .

J'EXPRIME LE FUTUR ET LE PASSÉ IMMÉDIATS

> ### I have <u>just</u> been dismissed.
> *Je viens d'être renvoyé.*
>
> ### I <u>am going to</u> find a better job.
> *Je suis sur le point de trouver un meilleur emploi.*

Il s'agit ici d'actions passées et futures, certes, mais très proches du présent. **Going to** suivi de l'infinitif offre une alternative facile et acceptable à la conjugaison du futur par **WILL.**

Just se rajoute devant toutes les formes de verbes, pour exprimer une immédiateté, un peu comme le mot *juste* en français.

☺ Solution globish : utilisez la forme « I'm gonna » pour « I'm going to ». Une expression états-unienne passe-partout pour exprimer ce que l'on va faire. Ex. : **I'm gonna work, I'm gonna eat, I'm gonna leave.** Vous pouvez l'utiliser à la place de **WILL** pour parler du futur.

Changing my old car for a new one	I sold the Chevrolet yesterday	*I've just sold...*
	I will buy a Ford tomorrow	*I'm going to buy...*
At the airport	to pass the police	
	to board the plane	
At Le Louvre	to buy a ticket to visit the paintings	
Phone bell	to hear the telephone bell to take up the receiver	

 P-2, et .

Négation

| He wasn't going to take a picture. |
| They weren't going to take... |

Interrogation

| Was he going to take a picture ? |
| Were they going to take a picture ? |

 Créez vos phrases en utilisant **going to.**

Bob describes the new product.	*Bob is going to describe the new product.*
Fred doesn't listen to me.	
Does she smile ?	
Will the customer approve ?	
He invited the clients.	

I didn't choose a special job.	
Did they show you the new equipment ?	

Questions ouvertes

What is Fred going to do ? (to criticize the project)	*Fred is going to criticize the project.*
When are they going to release the product ? (tomorrow)	
Who was going to drive the players ? (the team leader)	
Where are we going to go ? (Acapulco)	

Questions oui/non

Is Bill going to shut the door ? (no, but to open door)	
Were you going to chair the meeting ? (not me, but Tom yes)	
Is the cat going to frighten the visitors ? (the cat no, the dog yes)	
Was Chuck going to wash your car ? (your car no, but his car yes)	

 P-3, et 🗣.

BONUS DE L'ÉTAPE : PREMIER, DEUXIÈME, CENTIÈME

the first	1st	the eleventh	11th	the tenth	10th
the second	2nd	the twelfth	12th	the twentieth	20th
the third	3rd	the thirteenth	13th	the thirtieth	30th
the fourth	4th	the fourteenth	14th	the fortieth	40th
the fifth	5th	the fifteenth	15th	the fiftieth	50th
the sixth	6th	the sixteenth	16th	the sixtieth	60th
the seventh	7th	the seventeenth	17th	the seventieth	70th
the eighth	8th	the eighteenth	18th	the eightieth	80th
the ninth	9th	the nineteenth	19th	the ninetieth	90th
the tenth	10th	the twentieth	20th	the hundredth	100th

La *énième fois* = **the upteenth time.**

CURIOSITÉ ANGLORICAINE : LE PREMIER JOUR DE LA SEMAINE

Avez-vous remarqué qu'une semaine commence le dimanche sur un calendrier anglais ? Alors qu'elle commence en France le lundi ? En d'autres termes, un Anglo-Saxon se repose une journée pour travailler ensuite pendant six jours. Un travailleur français ne peut se reposer qu'après avoir travaillé pendant six jours. Ce n'est pas tout à fait la même philosophie. Laquelle préférez-vous ?

LA CHANSON DE L'ÉTAPE

« Whatever will be, will be (Que sera, sera) »

💻🔊👂 www.jpn-globish.com, 🎤 pratiquez toute la semaine.

Étape Q {👄 kyü}, <u>Quebec</u>* {👄 kwì b∂k}

LES SONS À MAÎTRISER

symbole : **ò**	symbole : **ö**
rock : 👄 **ròk**	gold : 👄 **göld**

📖	👄	📖	👄
belong	bi **lòng**	toward	tö **wèrd**
property	**pròp** ∂r të	below	bì **lö**
comment	**kòm** ∂nt	veto	**vë** tö
withdraw	wìdh **drò**	local	**lö** k∂l
policy	**pòl** ∂ së	process	**prö** sès
knowledge	**nòl** ìdj	suppose	s∂ **pöz**
modern	**mòd** ∂rn	oppress	ö **près**
involve	ìn **vòlv**	protest	**prö** tèst
opposite	**òp** ∂ zit	roll	**röl**
officer	**òf** ∂ s∂r	show	**shö**
politics	**pòl** ∂ tiks	revolt	rì **völt**
rocket	**ròk** it	total	**tö** t∂l
ecology	ë **kòl** ∂ djë	soldier	**söl** dj∂r
cooperate	kö **<u>òp</u>** ∂r **ät**	zero	**zër** ö

---

*   La capitale de la Belle Province, dont la France aura été fort stupidement privée au titre du traité de Paris en 1763. Il aura fallu admettre que le premier « e » de Quebec perde son accent pour figurer dans cet alphabet international. Elle a quand même fait mieux que Paris, qui n'y figure même pas.

| cotton | **kòt** ∂n | over | **ö** v∂r |
| doctor | **dòk** t∂r | only | **ön** lë |

 Q-I et 🗣.

J'EXPRIME LA POSSESSION

(suite de l'étape November)

I don't know who this property <u>belongs to</u>.

Je ne sais pas à qui appartient cette propriété.

<u>Whose property</u> is this ?

C'est la propriété de qui ? À qui appartient cette propriété ?

☺☞ Solution globish : « Who owns this property ? »

Diverses réponses possibles :

A	This is Paul's property.	*La propriété de Paul.*
B	This is Paul's. This is the company's. This my friend's.	*Celle de Paul.* *Celle de la société.* *Celle de mon ami.*
C	This is her property.	*C'est sa propriété (à elle).*
D	This property is hers (it's hers).	*C'est la sienne.* *C'est à elle.*

Réponse A : vue à l'étape November.

☺☞ Solution globish : dans tous les cas, « it belongs to... ».

Réponse B : on sous-entend le mot **property,** étant donné que c'est évident et qu'il n'y a aucune ambiguïté.

🗣 Créez vos phrases (en français, on dirait *celui de, celle de,* etc.).

My old colleague	It's my old colleague's
My brother's wife	
The bus driver	
Poor old Bob	

Réponse C : on utilise **my,** *mon* – **your,** *ton* – **his,** *son* – **her,** *son* – **its,** *son* – **our,** *notre* – **their,** *leur.* **His, her** ou **its** selon que le propriétaire est masculin, féminin, ou neutre (tout ce qui n'est pas humain ou assimilé).

Exemples

I am a man.	**My** name is Jim.
You come from France.	**Your** language is French.
He is German.	**His** country is Germany.
She is Italian.	**Her** country is Italy.
It is grass.	**Its** color is green.
We are living in Quebec.	**Our** house is made of wood.
They are American.	**Their** president is G.W. Bush.

🗣 Créez vos phrases (en français, on dirait : *mon, ma, mes, ton, ta, tes,* etc.).

I	(to have a house)	It is…
Fred	idem	It is…
Monica	idem	It is…
The dog	idem	It is…

Sue & I	idem	It is...
You	idem	It is...
The Jones	idem	It is...

🖥️ 🔊 👂 Q-2, et 🎤.

Réponse D : on utilise **mine – yours – his – hers – its own – ours – theirs.**

(**mine** = *le mien, la mienne, les miens, les miennes, à moi*)

🎤 Créez vos phrases en reprenant le cadre précédent et dites, en parlant de la maison : « C'est la mienne », « C'est à moi » > It is **mine,** et ainsi de suite.

🖥️ 🔊 👂 Q-2, et 🎤.

Questions avec whose :

Imaginons que vous êtes dans un lieu public : « Whose keys are these ? » *À qui sont ces clés ?*

Vous découvrez :	Vous demandez :
A bag	Whose... ?
Shoes	
Credit card	
Dollar-bills	

☺️ 👉 Solution globish : « Who owns this bag ? This bag belongs to who ? »

La manière de dire « celui de »

> **I don't have a car, I'll take Bob's** (*sous-entendu* : **car**).
>
> *Je n'ai pas de voiture, je vais prendre celle de Bob.*

Celui de, celle de, ceux de, celles de…

Par la même logique, le mot déterminé est ici aussi oublié, pour la raison que sa proximité avec ce qui le précède dans la phrase le rend superflu.

 Créez vos phrases en traduisant :

Ma maison est vieille, celle de Bob est neuve.	
Je n'aime pas ta voiture, celle de Bill est plus populaire.	
Mes parents sont riches, ceux de ma petite amie le sont moins.	

🖥️🔊👂 Q-3, et .

BONUS DE L'ÉTAPE : LES CIRCONSTANCES RELATIVES

Aux étapes Bravo, Delta, Echo, Hotel, November, les exemples vous ont déjà montré que :

who (*qui*), **whose** (*de qui, à qui*), **what, when,**
servent à poser des questions.

Fred will build a house in Padova when he gets his father's money.	*Fred construira une maison à Padoue quand il recevra l'argent de son père.*
Who will build a house ?	**Qui** *construira… ?*
Whose money will Fred get ?	*L'argent **de qui** recevra-t-il ?*

Mais ces mots servent aussi à articuler les diverses parties d'une phrase en créant des circonstances subordonnées.

Exemple

Mr. Jones is the man **who** (*qui, que*) is going to be in charge of the Marketing Department.	Who remplace le nom *man.*

Pour remplacer un nom de chose, on emploie **which.**

Exemples

My car is the car **which** (*qui, que*) is parked next to the checkpoint.
This is the hotel **where** (*où*) I spend my holidays.
She always does **what** (*quoi, ce que*) she likes.
It is the time **when** (*où*) I have to give my opinion.
The officer calls the soldiers **whose** (*dont*) names begin with a « B ».

☺☞ Solution globish : vous pouvez toujours remplacer *who* et *which* par *that,* sans vous soucier de savoir si vous parlez d'une chose, d'un animal ou d'une personne.

CURIOSITÉ ANGLORICAINE : LES JURONS

A four-letter word	*un mot de quatre lettres, un gros mot*
Improper language, dirty speaking	*grossièreté*

Le juron le plus commun de la langue française s'écrit en cinq lettres. Or il se trouve que les gros mots anglais ont quasiment toujours quatre lettres. D'où le terme générique de **four letter words.**

On les retrouve principalement dans les trois mêmes domaines qu'en français, à savoir : la scatologie, la religion et le sexe. Ils ne seront pas cités dans un ouvrage de cette qualité, « it goes without saying ! ». Vous savez déjà que l'usage en est proscrit en globish.

LA CHANSON DE L'ÉTAPE

« Some Enchanted Evening »

 www.jpn-globish.com, 🎤.

Étape R {👄 âr}, Romeo* {👄 rö më ö}

LES SONS À MAÎTRISER

symbole : ù	symbole : ü
cup : 👄 cùp	cool : 👄 kül

📖	👄	📖	👄
struggle	strùg əl	cool	kül
button	bùt ən	crew	krü
color	kùl ər	fluid	flü ìd
custom	kùs təm	include	ìn klüd
discover	dìs kùv ər	fruit	früt
government	gùv ərn mənt	jury	djür ë
insult	ìn sùlt	ruin	rü ən
money	mùn ë	remove	rì müv
once	wùns	supervise	sü pər vïz
result	rì zùlt	troop	trüp
butter	bùt ər	two	tü
study	stùd ë	who	hü
number	nùm bər	moon	mün
other	ùdh ər	roof	rüf
hundred	hùn drəd	school	skül
blood	blùd	loose	lüs

---

* Selon William (susnommé), inséparable de Juliet (10e étape, page 139) et, pour les amateurs d'automobiles, inséparable d'Alfa (première de nos étapes).

🖥️ 🔊 👂 R-1, et 🗣️.

J'INDIQUE LES CONDITIONS ET LES CIRCONSTANCES : LE VERBE AU CONDITIONNEL

1. Pour exprimer une condition au présent.

> **If I had money, <u>I would buy</u> a little company.**
> *Si j'avais l'argent, j'achèterais une petite entreprise.*

Il se construit en plaçant l'auxiliaire **WOULD** avant le verbe dans sa forme courante, identique à son infinitif.

☺ 👉 Solution globish : « If I have the money, I buy a car. »

Affirmation

I would buy (I'd buy).
You would (you'd) study.
She would discover (she'd discover).
He would struggle (he'd struggle).
It would result (it'd result).
We would (we'd) insult.
They (they'd) would include.

Négation

I would not (wouldn't) buy. (*Je n'achèterais pas.*)

Interrogation

Would I buy ? (*Achèterais-je ?*)

🗣 Créez vos phrases :

	you (to ask) me,	I (to help) you.	
If	Bob (to work) more,	he (to get) more money.	
	I (to know) his address,	I (to write) to him.	
	you (to see) Sue,	you (to love) her.	

🖥 🔊 👂 R-2, et 🗣.

2. Pour rapporter des propos :

He said (that) <u>he would call</u> in the afternoon.

Il a dit qu'il appellerait dans l'après-midi.

☺ ☞ Solution globish : « He said : "I will call this afternoon". »

🗣 Créez vos phrases :

	he (to help) us.	He said he would help us.
		He said he wouldn't help us.
He said	Liz (to buy) the car.	
He said	Bob (to come) with us.	

🖥 🔊 👂 R-3, et 🗣.

3. Pour évoquer l'habitude :

We <u>would drink</u> water from time to time.

Nous buvions de l'eau de temps à autre.

☺☞ Solution globish : « We drink water from time to time. »

🗣 Créez vos phrases :

	(to have dinner) with Fred.	Every night, I would have dinner with Fred.
Everyday	the sales rep' * (to come) at 10:00.	
	we (to exchange e-mails) on a permanent basis.	

*   The sales rep' : the sales representative, *le représentant, le vendeur.*

🖥 📢 🎧 R-4, et 🗣.

4. Pour indiquer l'intention :

He <u>would swim</u>, but the sea is too cold.

Il nagerait volontiers, mais la mer est trop froide.

☺☞ Solution globish : « He likes swimming, but the sea is too cold. »

 Créez vos phrases :

I (to tell)	(to take the bus) but he (to walk).	I told him to take the bus, but he would walk.
She	(to give) me a present, but I (to accept). *negative*	
They	(to want) to use my car, but I (to give my keys). *negative*	

🖥️ 🔊 👂 R-4, et .

5. Pour dire la préférence :

> ### **I would rather** remain unemployed than work for a racist corporation.
>
> *Je préférerais rester chômeur plutôt que de travailler pour une entreprise raciste.*

☺️ 👉 Solution globish : « For me, I prefer to be unemployed than to work for a racist company », *voire* « For me, better be unemployed than to work for a racist company. »

 Créez vos phrases :

They (to visit) Venice.	They would (they'd) rather visit Venice.
I (to buy) a truck.	
John (to stay) in the office.	

🖥️ 🔊 👂 R-5, et .

6. Pour exprimer un souhait :

> ### I wish <u>you would help</u> me.
> *J'aimerais que tu m'aides.*

☺☞ Solution globish : « I wish you help me, please help me, I need your help. »

🗣 Créez vos phrases :

I wish	the Turners (to come Sunday).	
	she (to send) me an invitation.	

🖥 🔊 🗣 R-5, et 🗣.

7. Pour exprimer les mêmes choses au passé :

> ### If I hadn't drunk whisky, <u>I would have driven</u> you back home.
> *Si je n'avais pas bu de whisky, <u>je vous aurais ramenés</u> chez vous <u>en voiture</u>.*

☺☞ Solution globish : « I cannot drive you back home, I drank too much whisky », *voire* « Too much whisky, I can't drive ».

Affirmation

I would have spoken.	*J'aurais parlé.*
I would have gone.	*Je serais allé.*
I would have come back.	*Je serais revenu.*

Négation

I would not (wouldn't) have spoken.

Interrogation

Would I have spoken ?
What would you have done, if you had had no car ?

☺ ☞ Solution globish : « What could you do without a car ? »

Who would you have called, if Bob had been overseas ?

☺ ☞ Solution globish : « Suppose Bob had been overseas, you would have called who ? », *voire éventuellement* « Suppose Bob is overseas, who do you call ? »

BONUS DE L'ÉTAPE : FAIRE FAIRE

I can't change the oil in my car engine.
I'll have the oil changed (at the gas station).

Je ne peux pas (je ne sais pas) changer l'huile du moteur de ma voiture. Je la fais remplacer (par un mécanicien).

Passé

I had the wheel replaced.

Futur

I can't drive my car.	I'll have my car driven by my son.
I won't be able to buy butter for you.	I will have butter bought by my wife.

CURIOSITÉ ANGLORICAINE : LES TEENAGERS

De la coïncidence entre numération et biologie animale...

Vous aurez noté que les nombres de 13 à 19 se construisent à l'aide du suffixe **-teen**. Or, il se trouve qu'à 13 ans, l'être humain commence à être capable de procréer et qu'à 19, il a terminé sa croissance. D'où l'expression :

He (she) is in his (her) teens.	A teenager.
Il (elle) est dans l'adolescence.	*Un(e) adolescent(e).*

LA CHANSON DE L'ÉTAPE

« The way you look tonight »

💻 🔊 👂 www.jpn-globish.com, 🗣.

Étape S {👄 ès}, Sierra* {👄 së êr ∂}

LES SONS À MAÎTRISER

symbole : ô	symbole : yü
door : 👄 dôr	new : 👄 nyü

📖	👄	📖	👄
almost	ôl môst	continue	k∂n tìn yü
also	ôl sö	execute	èks ∂ kyüt
cork	kôrk	use	yüz
tomorrow	t∂ môr ö	value	vàl yû
export	èk spôrt	pure	pyür
transport	tràns pôrt	reduce	rì dyüs
story	stôr ë	yours	yürz
morning	môr nìng	security	së kyür ∂ të
normal	nôr m∂l	stupid	styü pìd
perform	p∂r fôrm	tube	tyüb
project	prô djèkt	universe	yü n∂ vèrs
support	s∂ pôrt	university	yü n∂ vèr s∂ të
forward	fôr w∂rd	community	k∂ myü n∂ të

---

* À l'origine, mot castillan se traduisant par « scie », et utilisé par les Espagnols pour nommer des chaînes de montagnes particulièrement dentelées. Lorsque les États-Uniens, au-delà de la Louisiane, conquirent l'Ouest américain précédemment occupé par les Espagnols, ils découvrirent les montagnes locales ainsi baptisées.

award	∂ **wôrd**	few	**fyü**
explore	èk **splôr**	unite	yü **nït**
former	**fôr** m∂r	news	**nyüz**

🖥️ 🔊 👂 S-1, et 🗣.

JE DONNE DES ORDRES : LE VERBE À L'IMPÉRATIF

Show me your CV.

Let me see your résumé.

*Montrez-moi votre CV (aussi appelé **résumé** en anglais, souvent **resume**, mais prononcé à la française).*

☺ 📖 Solution globish : « I want to see your CV now. »

Pour donner un ordre à tout le monde, y compris à soi-même :

let me see	*je souhaite voir*
(let you) look	*regarde*
let him, her, it start	*qu'il, elle, débute*
let us drive, let's drive	*conduisons*
let them finish	*qu'ils terminent*

Let est sous-entendu pour les ordres donnés à **you.**

🗣 Créez vos phrases :

Exemple : student speaking to himself to learn a lesson : « **Let me study history !** »

Who ? (qui donne l'ordre ?)	To/of (à qui/de qui)	Verb (ordre de faire quoi ?)	About (à propos de)	Your sentence	☺︎↝ Solution globish :
policeman	to driver	(to see)	papers	...	I want to see your papers.
sick visitor	to doctor	(to stay)	in bedroom	...	I want to stay in bed.
father	to son	(to buy)	a balloon	...	Buy a balloon !
father	of daughter	(to wear)	green hair	...	Do not wear a green hair, ou I do not want you with a green hair.
man	of dog	(to eat)	bone	...	Eat your bone !
father	to family	(to have a meal)	near the river	...	We should have a meal.
man	to visitors	(to stay)	with us	...	Please, stay with us !
man	of visitors	(to sleep)	in the extra room	...	Sleep in the extra room !

S-2, et .

J'INTERDIS : L'IMPÉRATIF NÉGATIF

(Policeman facing nudists :)

Don't let me see that... !

(Le policier devant des nudistes :)

Ne permettez point que je voie semblable chose !

☺ ☞ Solution globish : « I don't want to see that », ou « Don't show me that. »

Don't let me see... !	Don't let it see... !
Don't let him see... !	Don't let us see... !
Don't let her see... !	Don't let them see... !

🗣 Créez vos phrases :

Exemple : Team leader to players before a match : « **Don't be aggressive !** »

Who (qui parle)	**To/of** (à qui/de qui)	**Verb**	**About** (à propos de)	...
driver	to himself (at the stop)	(to take)	the wrong direction	...
wife	to husband	(to forget)	to buy gas	...
husband	to wife (about their son)	(to smoke)	cigarettes	...
husband	to wife (about their daughter)	(to smoke)	cigarettes	...

husband	to wife (about their dog)	(to bite)	our baby	...
father	to wife and himself	(to forget)	to turn off the lights	...
father	to wife (about their children)	(to miss)	school	...

 S-3, et .

BONUS DE L'ÉTAPE : JE M'EXCLAME

(« A wonderful world ») :

What a wonderful world !

How wonderful this world is !

☺☞ Solution globish : « This world is really wonderful ! »

Au pluriel (« very lovely girls ») :

What lovely girls !

How lovely these girls are !

☺☞ Solution globish : « These girls are really lovely ! »

CURIOSITÉ ANGLORICAINE : le téléphone

1. Pour épeler votre nom, vous pouvez faire appel à l'alphabet international utilisé ici pour dénommer nos étapes : « A for Alpha, B for Bravo, C for Charlie », etc.

2. Les nombres se donnent chiffre par chiffre quand ils n'expriment pas une quantité :

◆ un numéro de téléphone :
558-1212 : five – five – eight – one – two – etc. ;

◆ un code de produit (« a Peugeot car ») :
607 : six – O (prononcer la lettre « O ») – seven.

Dans ce cas, on ne parle plus de **numbers** mais de **digits** (*« digital display » = affichage digital*). Quand cela est plus facile, on préférera recourir aux nombres de 10 à 100 également : un Airbus A-380, « A three-eighty ». *Les ordinateurs de la gamme 360*, *« the three sixty series computers »*, plutôt que *« three – six – zero »*. Le prédécesseur de cette gamme, appelé *1401* : *« fourteen – O – one »*. Le *11 septembre 2001* : *« nine eleven »*.

LA CHANSON DE L'ÉTAPE

« What a wonderful world »

🖥️ 🔊 👂 www.jpn-globish.com, 🗣️

Étape T {✏ të}, Tango* {✏ tàng gö}

LES SONS À MAÎTRISER

Les sons pêle-mêle		Les sons pêle-mêle	
📖	✏	📖	✏
body	**bòd** ë	popular	**pòp** yə lər
attempt	ə **tèmpt**	possible	**pòs** ə bəl
intense	ìn **tèns**	depression	dì **prèsh** ən
denounce	dì **nouns**	instrument	**ìn** strə mənt
battle	**bàt** əl	attention	ə **tèn** shən
hollow	**hòl** ö	helicopter	**hèl** ə **kòp** tər
alone	ə **lön**	dissident	**dìs** ə dənt
surround	sə **round**	excellent	**èk** sə lənt
hostile	**hòs** təl	hospital	**hòs** pi təl
solid	**sòl** ìd	demonstrate	**dèm** ən **strät**
divide	dì **vïd**	population	pòp yə **lä** shən
problem	**pròb** ləm	disappear	**dìs** ə **për**
release	rë **lës**	conservative	kən **sèr** və tìv
natural	**nàtch** rəl	ancestor	**àn** sès tər
anger	**àng** gər	establish	ì **stàb** lìsh
appear	ə **për**	examine	eg **zàm** ən

💻 🔊 👂  T-1, et 🔖.

---

* Danse célèbre d'Argentine, à l'origine considérée par les puritains comme trop évocatrice pour ne pas sembler indécente.

J'ÉVOQUE LA QUANTITÉ, LA MESURE

> **At 6:00 pm there are <u>many</u> cars in the street,**
> **but at 6:00 am there were <u>few</u>.**
>
> *Il est 18 heures : il y a <u>beaucoup</u> de voitures dans la rue,*
> *mais à 6 heures du matin il y en avait <u>peu</u>.*

And there is <u>much</u> noise now, while there was <u>little</u> this morning.

Et il y a <u>beaucoup</u> de bruit maintenant, alors qu'il y en avait
<u>peu</u> ce matin.

Ce que vous voulez exprimer	Ce dont il est parlé peut être compté, dénombré	Ce dont il est parlé peut être évalué, mesuré, mais ni compté ni dénombré	☺☞ Solution globish :
Une grande quantité, **beaucoup**	many	much	a lot of a large number of a large amount of (money)
Une faible quantité, **peu**	few	little	a small piece of a small quantity of a small amount of (money)
Entraîne le verbe au	**pluriel**	**singulier**	**singulier**

Les voitures (pluriel) peuvent être dénombrées : **many** et **few** ;
le bruit (singulier) peut être évalué mais non compté : **much** et
little.

 Créez vos phrases en complétant le tableau :

(in winter), clouds, rain	
(on highway) cars, traffic	
(in the freezer) food, ice cream	
(on table) bread, apples	
(rich man) money, dollars	
(in summer) clouds, rain	
(on country road) cars, traffic	
(poor man) money, dollar-bills	
(in Siberia) people, snow	
(in a library) books, dust	

🖥️ 🔊 🎧 T-2, et 🗣️.

J'ÉVOQUE L'EXCÈS, L'ÉQUIVALENCE, L'INSUFFISANCE

> **This boy has <u>too much</u> money and <u>too many</u> CDs:**
> **<u>as much money as</u> my son, and <u>as many CDs as</u> my**
> **daughter, but <u>too little</u> intelligence, and <u>too few</u> books.**
>
> *Ce garçon a trop d'argent et trop de CDs, c'est-à-dire autant de CDs*
> *que mon fils, et autant d'argent que ma fille, mais il n'est pas assez*
> *intelligent, et n'a pas assez de livres.*

☺☞ Solution globish : « This boy has money <u>and CDs in excess</u>, that is the same amount of money as my son, and the same number of CDs as my daughter, but not enough intelligence and not enough books. »

Ce que vous voulez exprimer	Ce dont il est parlé peut être compté, dénombré	Ce dont il est parlé peut être évalué, mesuré, mais ni compté ni dénombré	☺☞ Solution globish :
L'excès de... **trop de...**	too many	too much	in excess
L'équivalence de quantités **autant... que...** **aussi peu...** **que...**	as many as as few as	as much as as little as	the same amount of/as... the same number of/as...
L'insuffisance de... **pas assez de...**	too few	too little	not enough
Entraîne le verbe au	**pluriel**	**singulier**	**singulier**

 Créez vos phrases, sans oublier **as few as** et **as little as** (*aussi peu que*) :

We won't go to Cannes in August (traffic, people)	
I prefer to fly to Cannes, instead of driving (danger, accidents)	
My car, your car, seats, space	
Today, yesterday, windstorms	

🖥️ 🔊 👂 T-3, et 📢.

Je questionne sur la quantité

How many vehicles, and how much fuel ?			
Combien de véhicules et combien de carburant ?			
Ce que vous voulez exprimer	Ce dont il est parlé peut être compté, dénombré	Ce dont il est parlé peut être évalué, mesuré, mais ni compté ni dénombré	☺☞ Solution globish :
L'interrogation **Combien... ?**	How many... ?	How much... ?	What amount... ? What number of... ?
Entraîne le verbe au	**pluriel**	**singulier**	**singulier**

J'indique l'excès et sa conséquence

There is so much wind that I can hardly stand.
Il y a <u>tellement</u> de vent <u>que</u> je peux à peine me tenir debout.

Ce que vous voulez exprimer, l'exclamation	Ce dont il est parlé peut être compté, dénombré	Ce dont il est parlé peut être évalué, mesuré, mais ni compté ni dénombré	☺👉 Solution globish :
tellement... que	so many... that	so much... that	such an amount... that such a number of... that
si peu... que	so few... that	so little... that	such a small amount... that such a small number... that
Entraîne le verbe au	**pluriel**	**singulier**	**singulier**

Bonus de l'étape : *each other*

> **Mona Lisa and Leonardo are great friends: they like each other.**
> *Mona Lisa et Léonard sont très très amis : ils s'apprécient réciproquement.*

Attention : ne pas confondre **themselves** avec **each other.** « *They love themselves* » : *ils s'aiment* (égoïstement). « *They love each other* » : *ils s'aiment* (l'un l'autre).

Exemples

Bob runs after Fred and Fred runs after Bob.	They run after each other.
He is deaf and she is blind.	They help each other.
He holds her hand and she holds his hand.	They hold each other by the hand.

CURIOSITÉ ANGLORICAINE : LES TEMPÉRATURES

Fahrenheit		Celsius	
+ 212 °F	boiling point	+ 100 °C	*point d'ébullition*
+ 98.6 °F	body temperature	+ 37 °C	*corps humain*
+ 70 °F	room temperature	+ 21 °C	*intérieur de la maison*
+ 32 °F	freezing point	0 °C	*congélation de l'eau*
0 °F		− 18 °C	

LA CHANSON DE L'ÉTAPE

« It had to be you »

 www.jpn-globish.com, 🗣.

Étape U {ᴗ yü}, Uniform* {ᴗ yü n∂ fôrm}

LES SONS À MAÎTRISER

Les sons pêle-mêle		Les sons pêle-mêle	
📖	ᴗ	📖	ᴗ
extreme	èk **strëm**	inflation	ìn **flä** sh∂n
illegal	ì **lë** g∂l	dictator	**dìk** tä t∂r
complex	k∂m **plèks**	incident	**ìn** s∂ d∂nt
connect	k∂ **nèkt**	mystery	**mìs** t∂r ë
severe	s∂ **vër**	aggression	∂ **grèsh** ∂n
treason	**trë** z∂n	chemistry	**kèm** ∂ strë
straight	**strät**	situation	**sìtch** ü **ä** sh∂n
extra	**èks** tr∂	occupy	**òk** y∂ **pï**
machine	m∂ **shën**	example	èg **zàm** p∂l
people	**pë** p∂l	horrible	**hôr** ∂ b∂l
hunger	**hùng** ∂r	interfere	ìn t∂r **fër**
muscle	**mùs** ∂l	realistic	**rë** ∂l **ìs** tìk
against	∂ **gènst**	laboratory	**làb** r∂ **tô** rë
method	**mèth** ∂d	vehicle	**vë** ∂ k∂l
period	**për** ë ∂d	victory	**vìk** t∂ rë
observe	∂b **zèrv**	operate	**òp** ∂r **ät**

 U-1, et 🗣.

---

*   Tenue portée uniformément par tous ceux qui souhaitent se reconnaître et être reconnus comme appartenant à la même entité : le bicorne, la casquette de baseball avec la visière en arrière, etc.

JE MODIFIE LE VERBE PAR LES AUXILIAIRES D'APPRÉCIATION : *CAN, MAY* ET *MIGHT*

> **The company might consider this business.**
> **We could even offer you a job. You may go and**
> **see Jack to discuss, but you can't go without being**
> **presented first.**
>
> *La société pourrait envisager cette activité ; nous pourrions même*
> *vous offrir un emploi ; vous pouvez aller voir Jack pour en discuter,*
> *mais vous ne pouvez pas y aller sans être présenté d'abord.*

À toutes les personnes de la conjugaison, et pour tous ces verbes, la forme est la même : **I MAY, she MAY, they MAY.** Ces auxiliaires n'ont pas de forme future. Si nécessaire, on utilise à cet effet leur forme du présent. Seul **CAN** a un passé : **COULD.**

1. Les formes et la construction

Affirmation

	may		
You	might	speak	Globish.
	can		
(au passé)	could		

Interrogation : pas d'auxiliaire *DO, DOES, DID, HAVE, HAS, HAD*

May			
Can	I	speak	Globish ?
Could			

Négation : pas d'auxiliaire DO, DOES, DID, HAVE, HAS, HAD

	may not		
She	might not	speak	English.
	cannot, can't		
(au passé)	couldn't		

2. Les principaux usages de CAN, MAY et MIGHT

<u>Can</u> I take your hat ? <u>May</u> I take your jacket ?

Permission, autorisation : *Je puis, il m'est permis de...* Au négatif : refus, interdiction		☺☞ Solution globish :
Il peut, il lui est permis de...	He can park here. He may park here.	He is permitted to park here.
Il pouvait	He could park.	He was permitted to park.
Il pourra	He can park here tomorrow. He may park here tomorrow.	He will be permitted to park here tomorrow.
Il aurait pu	He could have parked outside. He may have parked outside.	He would have been permitted to park outside.
Il pourrait	He could park here if his car were smaller.	On a Sunday, he would be permitted to park here.
En interrogation... ?	Can I park here ? May I park here ?	Am I permitted to park here ?

Sergio <u>can</u> speak only Italian.

Capacité Je suis en mesure de… Je suis capable de…		☺☞ Solution globish :
Tu peux, tu sais	You can walk to work.	You are able to walk to work.
Tu pouvais, tu savais	You could walk to work.	You were able to walk to work.
Tu pourras, tu sauras	You can walk to work tomorrow.	You will be able to walk to work.
Tu auras pu, tu auras su		You will have been able to walk to work.
Tu pourrais, tu saurais	You could walk to work.	You would be able to walk to work.
En interrogation… ?	Can you walk to work ?	Are you able to walk to work ?

We <u>can</u> go to Paris tomorrow. It might rain tonight.

Hypothèse, conjecture, éventualité, possibilité Il se pourrait que… Peut-être…		☺☞ Solution globish :
Il se pourrait qu'il…	He can be in London now. He could be in London tomorrow. It could freeze tonight. It might freeze tomorrow.	Maybe he is in London now. Maybe he will be in London tomorrow. Maybe it will freeze tonight.
Il aurait pu se faire qu'il soit…	He could be in London then. He might be in London then.	Maybe he was in London then.
Il aurait pu se faire qu'il ait été…	He could have been in London then.	Maybe he would have been in London then.
En interrogation… ?	Could he be in London now ? Can he be in London tomorrow ?	Maybe he is in London now ? Maybe he will be in London tomorrow ?

MIGHT implique une probabilité inférieure à celle des autres verbes. Plus proche de *il se pourrait*, tout juste distancié de *il se peut*.

🗣 Créez vos phrases dans les cas suivants avec d'autres mots de l'étape :

The sky is black. (a storm)	We might have a storm.
You are trying on shoes at the shoe-store.	The girl says : « You… (this other model) »
Her new expert will be known soon.	Man ? / Woman ? It may be… It can't be both ! !

 U-2, et 🗣.

🗣 Créez vos phrases, y compris avec les possibilités du globish.

Affirmation : en réponses oui/non aux questions

Can you swim ?	Yes, I can, but Bob can't.
Can John speak Chinese ?	Yes…, but Bill…
Can Jill show her car ?	No…, but Betty…
Can George fly a plane ?	Yes…, but Liz…
Can you smoke ?	No…, but my father…

Interrogation : en formulant les questions correspondantes

You can't be everywhere.	Can you be everywhere ?
Man can reach the moon.	…
I can hire you.	…
The police can stop this noise.	…
Trees can be yellow in the Fall.	…

Négation : en disant le contraire de la proposition

I can work with him.	…
You can avoid them.	…
He can plan well.	…
They can destroy it.	…

🖥️ 🔊 👂 U-3, et 🗣️.

🗣️ Créez vos phrases, d'abord en affirmation, puis en négation, enfin en interrogation :

Bob	(to stop) boat
an employee	(to open) box
your daughter	(to hold) the dog
the doctor	(to appoint) a secretary
that man	(to repair) the bridge
the general	(to control) his soldiers
Bob's father	(to wash) with soap
the strong men	(to load) gold, boat
you	(to hear) Fred's voice
a foreigner	(to understand) this joke
this old co-worker	(to open) the bottle

🖥️ 🔊 👂 U-4, et 🗣️.

Au futur : les solutions **permitted to** et **able to** sont préférables, et préférées le plus souvent même par les anglophones natifs. Ils ont aussi **allowed to,** pour lequel le globish propose **permitted to,** plus proche du français.

🗣 Créez vos phrases en vous inspirant de la liste ci-dessus, et avec d'autres mots de l'étape.

💻 🔊 👂 U-5, et 🗣.

BONUS DE L'ÉTAPE : PLUSIEURS, LA PLUPART

<u>Several</u> friends of mine can't really speak English.
<u>Most of</u> them can speak Globish though.

Plusieurs de mes amis ne parlent pas réellement anglais.
La plupart parlent néanmoins globish.

Voici comment exprimer une quantité peu précise :

	Singulier	*Pluriel*
chaque	**every** man	
plusieurs		**several** boys
du, de, la, des	**some** wine	**some** girls
n'importe quel	**any** wine	**any** player in the team
un peu de	a **little** whisky	
quelques		**a few** examples ☺☞ Solution globish : some examples

beaucoup	**much** traffic **a great deal of**	**many** cars **a great deal of** ☺☞ Solution globish : a good number of
totalité	**the whole** bottle	**all** the people
suffisant	**enough** money	**enough** people
peu de	**little** money	**few** people

Curiosité angloricaine : les fractions

one fifth = *un cinquième*

one thousandth = *un millième*

Un demi, un tiers, un quart, neuf seizièmes : **a half, a third, a fourth, nine sixteenths.** *« One half of an orange » (une demi-orange), mais « half an hour », « half a mile ».*

La chanson de l'étape

« I found my thrill on Blueberry Hill »

 www.jpn-globish.com, 🗣.

Étape V {👄 vë}, Victor* {👄 vìk t∂r}

LES SONS À MAÎTRISER

Les sons pêle-mêle		Les sons pêle-mêle	
📖	👄	📖	👄
current	**kèr** ∂nt	wonderful	**wùn** d∂r f∂l
curtain	**kèr** t∂n	evidence	**èv** ∂ d∂ns
season	**së** z∂n	committee	k∂ **mìt** ë
pilot	**pï** l∂t	deficit	**dèf** ∂ sìt
decide	dì **sïd**	interest	**ìn** trìst
after	**àf** t∂r	offer	**òf** ∂r
copy	**kòp** ë	purpose	**pèr** p∂s
defend	dì **fènd**	survive	s∂r **vïv**
hurry	**hèr** ë	vicious	**vìsh** ∂s
message	**mès** ìdj	million	**mìl** y∂n
define	dì **fìn**	permanent	**pèr** m∂ n∂nt
arrest	∂ **rèst**	arrive	∂ **rïv**
ethnic	**èth** nìk	question	**kwès** tch∂n
forget	f∂r **gèt**	public	**pùb** lìk
invade	ìn **vàd**	represent	**rèp** rì **zènt**
guilty	**gìl** të	advertise	**àd** vèr **tïz**

 V-I, et 🗣.

---

* Prénom qui, par son origine latine, signifie « vainqueur ». Notre langue peut,
   avec Hugo, revendiquer l'écrivain classique le plus mondialement célèbre.

JE MODIFIE LE VERBE PAR UN AUXILIAIRE D'APPRÉCIATION : *MUST*

> **Ed must come tomorrow. You must have finished the paper by yesterday. We must discuss it as soon as he arrives.**
>
> *Édouard devrait venir demain, tu as dû terminer le papier hier, nous devrons en discuter dès qu'il arrivera.*

Au futur et au passé : **MUST**. À toutes les personnes qui conjuguent : **MUST**.

I. Les formes et la construction :

Affirmation

I	must	speak	Globish.

Interrogation : pas d'auxiliaire *DO, DOES, DID, HAVE, HAS, HAD*

Must	you	speak	Globish ?

Négation : pas d'auxiliaire *DO, DOES, DID, HAVE, HAS, HAD*

I	must not	speak	English.

2. Les principaux usages de MUST :

Devoir, obligation

Selon mon appréciation des circonstances en question		☺☞ Solution globish :
Il faut que je... *Je dois...*		
Je dois	I must wait.	I have to wait.
		I've got to wait, I gotta wait.
	You must stay here.	You have to stay here.
		You've got to stay here.
		You gotta stay here.
Je devais	*Must n'existe pas au passé*	I had to wait.
Je devrai	You must do it tomorrow.	I will wait.
J'aurais dû		I should have waited.
Je devrais	*Must n'existe pas au passé.*	I should wait.

Forte probabilité...

Certainement...		☺☞ Solution globish :
Il doit se trouver à Paris, il est certainement à Paris	He must be in Paris.	He's got to be in Paris.
		I think he will probably be in Paris. (*futur*)
		I think he was probably in Paris. (*passé*)

🗣 Créez vos phrases, d'après le tableau ci-après, y compris avec les solutions possibles du globish.

Affirmation : en réponse oui/non aux questions

Must Tim sit on a seat ?	Yes, Tim must, and Ellen has to also.	*Oui, Tim doit s'y asseoir, et Ellen en a l'obligation aussi.*
Must they work seven days a week ?		
Must the fat man sing now ?		

Interrogation : en formulant les questions correspondantes

I must find a new job.	
You must hire me.	
The police must stop this noise.	

Négation : en disant le contraire de la proposition

I must avoid this problem.	
She must hear me through the door.	
They must be travelling.	

Il y a une petite nuance entre **she must not drive** (*elle ne doit pas conduire*, interdiction) et **she does not have to drive** (*elle ne doit pas conduire, elle n'est pas obligée de / n'a pas à conduire*, absence d'obligation).

 V-2, et 🗣.

BONUS DE L'ÉTAPE : J'Y PENSE, J'EN DISCUTE

Paris ?	I come from there.
The coming vote ?	We were just talking about it.
Salt, do you have any ?	I have some / I have none.
Do you remember our trip to Rome ?	I remember it well.

Question : quel est le point commun entre ces quatre phrases ?

Réponse : toutes se traduisent en utilisant le mot « *en* » ; *nous en parlions, j'en ai, je n'en ai pas, je m'en souviens.*

Beijing ? (*Pékin*)	I am going there soon.
Don't forget your passport.	I'll think of it.

Même question : quel est le point commun entre ces deux phrases ?

Réponse : « *y* » ; *j'y vais, j'y penserai.*

CURIOSITÉ ANGLORICAINE : LES NOMS, PRÉNOMS ET SURNOMS

	John	Fitzgerald	Jack	Kennedy
USA	First name	Middle Name	Nickname (*surnom*)	Last name Surname
GB	Christian name	*Pas utilisé*	Nickname (*familier, réservé aux intimes*)	Family name

Dwight David (« Ike ») Eisenhower : les condisciples d'Einsen-hower enfant, trouvant son nom de famille imprononçable, l'avaient raccourci en Ike, et le surnom lui est resté. Le résultat est que nombre d'Américains prénommés Dwight comme lui, sont, par contagion, appelés familièrement « Ike » de nos jours. Or Ike était le vrai surnom habituel d'Isaac, comme Abe est celui d'Abraham (Lincoln, par exemple), et n'avait rien à voir avec Dwight.

Alan devient Al, mais c'est aussi le cas d'Alfonso (Al Capone) et d'Albert (Al Gore, naguère vice-président). Al peut de même correspondre à Alfred, qui peut tout autant se convertir en Fred ou Freddie, à l'instar de Fredrick.

Richard nous vaut Rich, Rick ou Dick (Richard Nixon était sur-nommé Tricky Dicky, ou Dickie, *le rusé,* à l'époque du Watergate mais aussi dans sa jeunesse, selon ses détracteurs). Comme « dick » signifie aussi « *zizi* » en argot, mieux vaut s'en méfier.

Reprise affectueuse d'Edmond, Ed l'est aussi d'Edward, lequel peut en outre se transformer en Ted (ainsi le sénateur Ted Kennedy, de l'illustre famille). Mais Ted est également le diminu-tif de Theodore (Theodore Roosevelt, président américain de 1901 à 1909 ; depuis sa présidence, les ours en peluche sont toujours appelés « Teddy bears »).

Bref, c'est un peu confus et la solution est de bien écouter ce qui se dit, et d'imiter.

À l'heure du thé, dans le célèbre bureau ovale (Marilyn Monroe) :

« Jack, just a drop of milk, please. »
« Bobby, can I have some sugar, please ? »

(On what occasions did Marilyn wear only a few drops of Chanel #5 ?)

LA CHANSON DE L'ÉTAPE

« Ol' Man river »

💻 🔊 👂 www.jpn-globish.com, 🗣.

Étape W {👄 dùb ∂l yü}, Whisky* {👄 wìs kë}

LES SONS À MAÎTRISER

Les sons pêle-mêle		Les sons pêle-mêle	
📖	👄	📖	👄
final	**fi** n∂l	remember	rì **mèm** b∂r
iron	**ï** ∂rn	busy	**bìz** ë
perfect	p∂r **fìkt**	murder	**mèr** d∂r
issue	**ìsh** ü	champion	**tchàm** pë ∂n
prison	**prìz** ∂n	yesterday	**yès** t∂r **dä**
retire	rë **tïr**	congratulate	k∂n**gràtch** ü **lät**
coffee	**kòf** ë	device	dì **vïs**
daughter	**dò** t∂r	international	ìnt∂r **nàsh** ∂n ∂l
early	**èr** lë	education	**èdj** ∂ **kä** sh∂n
permit	p∂r **mìt**	manufacture	**màny**∂**fàk**tch∂r
dollar	**dòl** ∂r	exercise	**èk** s∂r **sïz**
suffer	**sùf** ∂r	separate	**sèp** ∂ rìt
summer	**sùm** ∂r	science	**sï** ∂ns
father	**fò** dh∂r	understand	**ùn** d∂r **stànd**
swallow	**swòl** ö	yellow	**yèl** ö
village	**vìl** ìdj	tradition	tr∂ **dìsh** ∂n

 W-1, et 🔊.

---

*   La marine nationale a privilégié cette orthographe écossaise. De nombreux habitants du Nouveau Monde lui préféreraient «Whiskey» mais, en globish, les deux mots se prononcent pour vous de la même manière. *No problem…*

JE COMPARE

1. Deux caractéristiques d'égale importance :

> ### January is <u>as</u> long <u>as</u> March.
>
> *Janvier est <u>aussi</u> long <u>que</u> mars.*

☺🏳 Solution globish : « January and March are equally long. »

🗣 Créez vos phrases :

April	June	long	…
Bob (40 years old)	John (40 years old)	old	…
her eyes	the sky	blue	…
a computer	a car	useful	…
I am happy	Fred	happy	…
the Rockies	the Alps	high	…

🖥 🔊 👂 W-2, et 🗣.

2. Deux caractéristiques
dont l'une est plus importante que l'autre :

> ### Globish is simpl<u>er</u> and easi<u>er</u> than English.
>
> *Le globish est <u>plus</u> simple et <u>plus</u> facile que l'anglais.*
>
> ### A big Mercedes is <u>more</u> comfortable <u>than</u> a Golf.
>
> *Une grosse Mercedes est <u>plus</u> confortable <u>qu'</u>une Golf.*

Pour les adjectifs d'_une_ ou _deux_ syllabes, on utilise **... -er... than**. Pour les adjectifs longs, on emploie **more... than**.

🗣 Créez vos phrases en choisissant la forme qui convient :

the sea	a river	deep	...
a man	a dog	intelligent	...
a horse	a pig	big	...
a flower	grass	beautiful	...
a father	his son	old	...

💻 🔊 👂 W-3, et 🗣.

3. Deux caractéristiques
dont l'une est moins importante que l'autre :

Norway is _less_ hot _than_ Egypt.

La Norvège est moins chaude que l'Égypte.

☺ ➤ Solution globish : « Greece is _not as_ hot _as_ Egypt. »

🗣 Créez vos phrases, y compris avec les possibilités du globish :

a cowboy	a basketball player	tall	...
a car	an airplane	fast	...
a TV series	a good film	interesting	...
the weather	a good job	important	...

💻 🔊 👂 W-4, et 🗣.

4. Une caractéristique plus importante que toutes les autres

D-day was <u>the</u> long<u>est</u> day for many soldiers in Normandy.

Le jour J a été le jour le plus long pour beaucoup de soldats en Normandie.

A Rolls-Royce is <u>the most</u> comfortable car.

La Rolls est la voiture la plus confortable.

Tout comme dans le paragraphe précédent, nous avons une forme différente pour les adjectifs courts et pour les adjectifs longs (on dit **longest**, **happiest**, mais **most difficult, most comfortable**).

 Créez vos phrases à l'aide des éléments suivants :

winter	<u>cold</u> season	year	...
Chinese is	<u>complex</u> language	world	...
the Midwest is	fertile area	USA	...
Bob is	<u>bright</u> student	school	...
Bill Gates is	<u>rich</u> person	the U.S.	...

W-5, et .

Bien entendu, il y a quelques exceptions :

good	better than	the best
bon	*meilleur que*	*le meilleur*
bad	**worse than**	**the worst**
mauvais	*pire que*	*le pire*
far	**farther than**	**the farthest**
loin	*plus loin que*	*le plus loin*

 Créez vos phrases en introduisant *plus... que...*

champagne	good	mousseux	...
fog	bad	rain	...
Vladivostok	far	Berlin	...
Côtes-du-Rhône	good wine	wine in the world	...
driving through the fog	bad	driving condition	...
Ushuaia	far	city in Argentina	...

W-6, et .

5. De plus en plus, de moins en moins :

Modern cars become <u>faster and faster</u>, but they fail <u>less and less</u> often.

Les voitures modernes sont <u>de plus en plus</u> rapides, mais tombent <u>de moins en moins</u> souvent en panne.

Modern cars become <u>more and more</u> comfortable, and <u>less and less</u> noisy.

Les voitures modernes sont <u>de plus en plus</u> confortables, et <u>de moins en moins</u> bruyantes.

 Créez vos phrases :

petrol (gas *aux États-Unis*)	costly…	…
human beings	(to live) long…	…
black/white TV sets	unusual…	…
in spring, nights	short…	…

W-7, et .

Une caractéristique à un très haut degré s'exprime par l'adjonction, avant l'adjectif qui la décrit, de **very** (*très*), **extremely** (*extrêmement*), **most** (*très, très*).

Bonus de l'étape : *TO GO* et *TO COME*

Tout comme en français avec *aller* et *venir*, ces deux verbes traitent du même mouvement, mais avec des points de vue inversés.

I am coming from Québec City.
I am now in Trois-Rivières.
And I am going to Montréal.

Je suis chez moi, on frappe, je dis : « **Come in !** » Mon visiteur et moi prenons un verre. Une heure plus tard, je lui dis : « **Go out !** » (et il sort).

Autre situation : je suis dans la cour et je l'invite à entrer pour un verre, je fais un geste pour qu'il me précède : « **Go in !** » (et il entre). Après le verre, je sors le premier, je l'appelle et lui dis : « **Come out !** »

Curiosité angloricaine : *Mr. SO-AND-SO*

« Mr. so-and-so came to see you, Sir ! »

« Monsieur Untel est venu vous voir, Monsieur ! »

À savoir aussi :

À Trifouillis-les-oies	In the boon-docks
À perpète	In the middle of nowhere
M. Machin-Chouette	Mr. What's his name

LA CHANSON DE L'ÉTAPE

« How much is that dog in the window ? »

💻 🔊 👂 **www.jpn-globish.com,** 🗣.

Étape **X** {👄 èks}, **X-Ray*** {👄 èks rä}

LES SONS À MAÎTRISER

Les sons pêle-mêle		Les sons pêle-mêle	
📖	👄	📖	👄
along	ə **lòng**	every	**èv** rë
succeed	sèk **sëd**	agriculture	**àg** rə **kùl** tchər
secret	**së** krìt	estimate	**ès** tə mìt
direct	dì **rèkt**	investigate	ìn **vès** tə gät
evil	**ë** vəl	minister	**mìn** ìs tər
chain	**tchän**	attach	ə **tàtch**
hijack	**hï djàk**	moral	**môr** əl
model	**mòd** əl	skeleton	**skèl** ə tən
office	**òf** ìs	information	ìn fər **mä** shən
often	**òf** ən	sacrifice	**sàk** rə **fïs**
flower	**flou** ər	satisfy	**sàt** ìs **fi**
pocket	**pòk** ìt	enemy	**èn** ə më
touch	**tùtch**	communicate	kə **myü** nə **kät**
trouble	**trùb** əl	probable	**pròb** ə bəl
event	ì **vènt**	parallel	**pàr** ə **lèl**
profit	**prò** fit	satellite	**sàt** ə **lït**

💻 🔊 👂 X-1, et 🗣.

---

* Les rayons X, découverts en 1895 par Röntgen, et qui permettent au radio-
logue de vous assurer que votre intérieur va aussi bien que vous le souhaitez.

JE DIS « IL Y A » : *THERE IS, THERE ARE, THERE WAS, THERE WERE*

> ## There are several reports ready for the conference.
> *Il y a plusieurs rapports prêts pour la conférence.*
>
> ## There is a report in my in-coming mail.
> *Il y a un rapport dans mon courrier entrant.*

Traduction : *il y a*, *il n'y a pas*. En français, la forme verbale reste inchangée au singulier comme au pluriel, alors que la forme verbale anglaise prend la marque du pluriel.

Au présent de base

Affirmation	Négation	☺☞ Solution globish	Interrogation
There is an exception.	There is not an exception. There isn't an exception.	There is no exception.	Is there an exception ?
There are exceptions	There aren't (are not)…	There are no…	Are there… ?

🔊 Créez les autres temps et les autres formes de l'expression *il y a* :

Futur de base	Il y aura	…
Passé de base	Il y avait	…
Conditionnel	Il y aurait	…

Avec **CAN** ou **MAY**	*Il peut y avoir*	...
Avec **MUST**	*Il doit y avoir*	...
Avec **going to**	*Il va y avoir*	...
Avec **just**	*Il vient d'y avoir*	...
Avec **SHOULD**	*Il devrait y avoir*	...
Avec **used to**	*Il y avait d'habitude*	...
Avec **MIGHT**	*Il pourrait y avoir*	...

X-2, et .

Les mots brefs pour localiser les choses et les gens : **in** (*dans*), **behind** (*derrière*), **out of** (*hors de*), **on** (*sur*), **under** (*sous*), **above** (*au-dessus de*), **near** (*près de*), **in front of** (*devant*), **in the corner of** (*dans le coin de*).

Créez des phrases, en variant les formes du verbe, par exemple : « **There is** a hat on the table » *ou* « **There are** hats… »).

Mariez un mot de la colonne de droite avec un autre choisi dans celle du milieu, et avec un troisième dans celle de gauche, de manière à construire une expression correcte : « there are birds in the middle of the library » ne marche pas trop bien… Exemple à suivre donné ici en caractères gras.

a blue sky	under	library
light	**above**	picture
child (children)	in the middle of	ship
fight	in the center of	bridge
spy (pl. spies)	near	river
sign	out of	**village**
island	behind	building
birds	on	city
prison	in	Piazza San Marco

🖥️ 🔊 👂 X-3, et 🗣️.

🗣️ Créez d'autres phrases en procédant de même, mais en les tournant à la forme négative.

Créez des phrases comportant une interrogation sur les mêmes thèmes.

🖥️ 🔊 👂 X-4, et 🗣️.

Bonus de l'étape : *to rise, to raise*

In the morning, the sun rises in the sky.	*Il se lève tout seul.*
Bob falls down and can't get up : I raise him.	*Je le relève.*

Exemples

If you are ready to vote for Globish, please raise your hand.	_Si vous êtes prêts à voter pour le globish, levez la main._
On Sundays, I rise late.	_Le dimanche, je me lève tard._
This mother is raising five children.	_Cette mère élève cinq enfants._

CURIOSITÉ ANGLORICAINE :

TO BE BORN, TO BE WORTH

naître/valoir

Verbes atypiques : c'est la partie **to be** qui se conjugue.

	Passé	_Présent_	_Futur_
to be born	I was born in 1936.	Look ! The little cats are born.	Her baby will be born in June.
to be worth	A computer was worth a lot in the 70s.	It is worth much less now.	Soon, it may be worth next to nothing.

LA CHANSON DE L'ÉTAPE

« I could have danced all night »

 www.jpn-globish.com,

Étape Y {👄 wï}, Yankee* {👄 yàng kë}

LES SONS À MAÎTRISER

Les sons pêle-mêle		Les sons pêle-mêle	
📖	👄	📖	👄
navy	**nä** vë	anniversary	**àn** ə **vèr** sə rë
order	**ôr** dər	condition	kən **dìsh** ən
covers	**kùv** ərs	offensive	ə **fèn** sìv
shelter	**shèl** tər	several	**sèv** ər əl
affect	ə **fèkt**	fierce	**fërs**
degree	dì **grë**	emergency	ë **mèr** djən së
letter	**lèt** ər	independent	ìn dì **pèn** dənt
research	rì **sèrtch**	debate	dì **bät**
ballot	**bàl** ət	surface	**sèr** fìs
female	**fë** mäl	torture	**tôr** tchər
tongue	**tùng**	especially	ès **pèsh** əl ë
exchange	èks **tchändj**	ammunition	**àm** yə **nìsh** ən
spirit	**spìr** ìt	compete	kəm **pët**
city	**sìt** ë	awake	ə **wäk**
exist	èg **zìst**	capital	**kàp** ə təl
riot	**rï** ət	never	**nèv** ər

 💻 🔊 🎵 Y-1, et 🎯.

---

* Initialement, surnom des habitants de la Nouvelle-Angleterre (nord-est des États-Unis), plus tard employé pour distinguer les soldats de l'Union de ceux de la Confédération pendant la guerre de Sécession américaine, et à présent généralisé à tous les États-Uniens.

SOME, ANY, NO, NOT... ANY, NONE

Do you own <u>any</u> company shares ?

As-tu des actions de la société ? (quantité indéfinie)

Yes, I have <u>some</u> company shares, I have <u>some</u>.

Oui, j'ai des actions de la société. J'en ai.

I don't have <u>any</u> company shares, I have none.

Non, je n'ai pas d'actions de la compagnie. Je n'en ai pas.

☺☞ Solution globish : « I have no company shares. »

Pour exprimer *une certaine quantité de* :

Affirmation :   **some**
Négation :   **not any, no, none**
Interrogation :   **any... ?**

 Créez vos phrases sur le modèle précédent (les actions de la société).

to eat vegetables	Affirmation : ...
	Négation : ...
	Question : ... ?
to have pictures of the hotel	Affirmation : ...
	Négation : ...
	Question : ... ?
to want help	Affirmation : ...
	Négation : ...
	Question : ... ?
to receive news from our friends	Affirmation : ...
	Négation : ...
	Question : ... ?

Y-2, et .

Some, any et **no** peuvent se combiner avec : **body, one, thing, where** (*quelqu'un, quelque chose, quelque part*).

Can you see anybody in the street ? (*ou* anyone)	*Peux-tu voir quelqu'un dans la rue ?*
Yes, I can see somebody (someone).	*Oui, je peux voir quelqu'un.*
No, I can't see anybody (anyone). (*ou :* I can see nobody, *ou* I can see no one)	*Non, je ne peux voir personne.*

Créez vos phrases : complétez avec **-body, -one, -where, -thing.**

Question : Can anybody read your e-mails ?
Négation : Nobody can read my e-mails.
Affirmation : ...
Question : Can you see anything under the seat ?
Négation : ...
Affirmation : ...
Question : ... ?
Négation : ...
Affirmation : I am going somewhere (but I won't tell you where).

 Y-3, et .

EVERY

Pour exprimer *chaque, tous.*

Se combine lui aussi avec **body, one, thing, where.**

> **On this Board of Directors, <u>everybody</u> can vote, and <u>everyone</u> will.**
> *Dans ce conseil d'administration, chaque personne peut voter, et tout le monde le fera.*
>
> **<u>Everything</u> was destroyed by the fire in my house.**
> *Tout a été détruit par l'incendie de ma maison.*

> ## The wind spreads the leaves <u>everywhere</u> in the garden.
>
> *Le vent répand les feuilles partout dans le jardin.*

Créez vos phrases en remplaçant les blancs par un mot convenable extrait du tableau de synthèse qui suit :

The bottle is empty : there is _____ in it.

_____ knows that Notre-Dame is in Paris.

I was born _____ in the Southern Alps.

_____ knows my secret.

There is _____ wrong with the engine.

Customs control : « Have you _____ to declare ? »

I have no home. I have _____ to sleep.

Sh ! _____ is listening to us.

Does _____ want a drink ?

I have no bags. I carry _____ in my pocket.

Get out ! Go _____ but don't stay here !

There are travellers _____ in the airport.

Synthèse

	one	body	thing	where
Any	anyone	anybody	anything	anywhere
No...	none (*rien*) no one (*personne*)	nobody	nothing	nowhere
Every...	everyone	everybody	everything	everywhere
Some...	someone	somebody	something	somewhere

 Y-4, et .

BONUS DE L'ÉTAPE : IL ME RESTE, JE RESTE

Exemples

The train is leaving in 15 minutes. <u>We have 15 minutes left</u> for a cup of coffee.	*Il nous reste 15 minutes.*
On Sunday mornings, I <u>stay in bed</u> until 12 o'clock.	*Le dimanche matin, je reste au lit jusqu'à midi.*
Admiral Horatio Nelson had lost an arm and an eye in the service of his country: <u>he had one arm and one eye left</u>.	*Il lui restait un œil et un bras.*
Monica is sick today: she doesn't go to work, <u>she stays at home</u>.	*Elle reste à la maison.*

CURIOSITÉ ANGLORICAINE : BALLON OVALE OU ROND ?

En français	États-Unis	Grande-Bretagne	Type de ballon ou balle
football	soccer	association football (soccer)	rond
rugby	pratiquement inconnu	rugby football (rugger)	ovale
football américain	football	American football	ovale (plus petit)
base-ball	baseball	pratiquement inconnu	ronde (petite)

LA CHANSON DE L'ÉTAPE

« I left my heart in San Francisco »

 www.jpn-globish.com, .

Étape Z {👄 zèd et zë}, Zulu* {👄 zü lü}

La lettre Z se dit « zèd » à Londres et « zë » à New York.

LES SONS À MAÎTRISER

Les sons pêle-mêle		Les sons pêle-mêle	
📖	👄	📖	👄
angle	**àng** gəl	automatic	ò tə **màt** ìk
carry	**kàr** ë	desire	dì **zïr**
forbid	fər **bìd**	professor	prə **fès** ər
circle	**sèr** kəl	receive	rì **sëv**
decrease	dì **krës**	experience	èk **spër** ë əns
account	ə **kount**	surrender	sə **rèn** dər
bullet	**bûl** ìt	create	**krë** ät
system	**sìs** təm	idea	ï **dë** ə
betray	bì **trä**	passport	**pàs** pôrt
expect	èk **spèkt**	request	rì **kwèst**
happy	**hàp** ë	headquarters	**hèd** kwôr tərz
invest	ìn **vèst**	senate	**sèn** ìt
mercy	**mèr** së	refugee	**rèf** yə djë

---

* Zoulou : peuple noir de langue bantoue, en Afrique du Sud, dans la province du Natal (aujourd'hui Kwazulu-Natal). C'est en les combattant, dans
les rangs de l'armée anglaise, que fut tué le prince impérial, enfant unique
de l'empereur Napoléon III et de l'impératrice Eugénie.

marry	**màr** ë	device	dì **vïs**
object	**òb** djìkt	environment	èn **vï** rən mənt
holy	**hòl** ë	escape	ès **käp**

 Z-1, et 🗣.

JE M'EXPRIME À LA FORME PASSIVE

> **My car is washed by my employee.**
>
> *Ma voiture est lavée par mon employé.*

☺☞ Solution globish : « My employee washes my car. »

Exemples

	Actif	*Passif*
Passé de base	My employee washed	My car was washed
Futur de base	My employee will wash	My car will be washed
Conditionnel	He would wash	My car would be washed
Présent récapitulatif	He has washed my car for… (*ou* since…)	My car has been washed by my employee for… (*ou* since…)

 Créez vos phrases :

Bob will write a paper.	A paper…
The player made a point.	A point…
Policemen have arrested people for centuries.	People…
Cars kill dogs.	Dogs are…
The teacher punished Bob.	…
He will publish his book in May.	…
They will choose Paris for the Olympics.	…
Many people listen to him.	He…

Z-2, et .

En anglais, on dira :

A gun is given to each soldier by the officer.
Un fusil est donné à chaque soldat (par le capitaine).

Mais on peut dire aussi :

Each soldier is given a gun by the officer.
Chaque soldat s'est fait donner un fusil par l'officier.

Solution globish : « The officer gives a gun to each soldier » ou « The officer gives each soldier a gun. » L'officier donne à chaque soldat un fusil.

My car has been stolen.
On a volé ma voiture.

Solution globish : « Somebody has stolen my car », ou « They have stolen my car. »

He is said to be a good doctor.

On dit que c'est un bon docteur.

☺☞ Solution globish : « People say that he is a good doctor », ou « They say he is a good doctor. »

I was told she is an excellent employee.

J'ai entendu dire que c'était une excellente collaboratrice.

☺☞ Solution globish : « Someone told me that she is an excellent employee. »

Bonus de l'étape :

STILL, NO MORE, NO LONGER, NOT YET

Exemples

Today is voting day.	*C'est jour d'élection aujourd'hui.*
George W. is <u>no longer</u> (<u>no more</u>) campaigning.	*George W. <u>n'est plus</u> en campagne.*
But he is <u>still</u> a candidate.	*Mais il est <u>toujours</u> (encore) candidat.*
He is <u>not yet</u> the 43rd President of the USA.	*Il n'est <u>pas encore</u> le 43e président des États-Unis.*
He could be sworn-in <u>again</u> in January.	*Il pourrait prêter serment <u>à nouveau</u> (encore) en janvier.*

« It is 12:00 midnight : she is in her bathroom, getting ready to go to bed. She was watching TV before this. »

(no longer)   →   She is no longer watching TV.
(still)   →   She is still in her bathroom.

Inattendu : « *Bis ! !* » (bisser) au théâtre se dit « **Encore !** » en anglais.

Curiosité angloricaine : « c'est dommage »

It's too bad you didn't know globish earlier.

It's a shame you didn't know globish earlier.

*C'est dommage que tu n'aies pas connu
le globish plus tôt.*

La chanson de l'étape

« *C'est magnifique* »

www.jpn-globish.com, pratiquez toute la semaine.

Les 1500 mots du globish

a
able
about
above
ac**cept**
ac**cident**
ac**count**
ac**cuse**
a**cross**
act
activist
actor
add
adminis**tra-**
tion
ad**mit**
ad**ult**
ad**ver**tise-
ment
ad**vise**
af**fect**
af**raid**
after
a**gain**
a**gainst**
age
agency
ag**gre**ssion
a**go**
a**gree**
agriculture
aid
aim
air
air force
airplane
airport
album
a**live**
all

ally
almost
a**lo**ne
a**long**
al**rea**dy
also
al**though**
always
ammu**ni**tion
a**mong**
a**mount**
anarchy
ancestor
ancient
and
anger
angle
angry
animal
anni**ver**sary
an**noun**ce
a**no**ther
answer
any
a**po**logize
ap**peal**
ap**pear**
apple
ap**point**
ap**prove**
area
argue
arm
army
a**round**
ar**rest**
ar**rive**
art
ar**til**lery
as

ash
ask
as**sist**
as**tro**nomy
at
atmosphere
at**tach**
at**tack**
at**tem**pt
at**ten**d
at**ten**tion
au**tho**rity
auto**ma**tic
automobile
autumn
average
a**void**
a**wa**ke
a**ward**
a**way**
baby
back
bad
bag
balance
ball
bal**loo**n
ballot
ban
bank
bar
barrier
base
basket
battle
be
beat
beautiful
be**cau**se
be**co**me

bed
be**fore**
be**gin**
be**hin**d
be**lie**ve
bell
be**long**
be**low**
bend
best
be**tray**
better
bet**wee**n
big
bill
billion
bi**ol**ogy
bird
birth
bite
black
blade
blame
blanket
bleed
blind
block
blood
blow
blue
board
boat
body
bomb
bone
book
border
born
borrow
both

bottle
bottom
box
boy
boycott
brain
brake
branch
brass
brave
bread
break
breathe
brick
bridge
brief
bright
bring
broadcast
brother
brown
brush
budget
build
building
bullet
burn
burst
bury
bus
business
busy
but
butter
button
buy
by
cabinet
call
calm

camera
camp
cam**paig**n
can
cancel
cancer
candidate
capital
capture
car
card
care
careful
carriage
carry
case
cash
cat
catch
cause
celebrate
center
century
ceremony
certain
chain
chairman
champion
chance
charge
chase
cheer
cheese
chemical
chemistry
chest
chief
child
choose
church
circle
citizen
city
ci**vi**lian

claim
clash
clean
clear
climate
climb
clock
close
cloth
cloud
coal
coast
coat
co**ffee**
cold
collar
col**lect**
college
colony
color
com**bine**
come
comfort
com**mand**
comment
com**mi**ttee
common
commu**mu**ni-cate
commu**mu**nity
company
com**pare**
com**pete**
com**ple**te
complex
compromise
com**pu**ter
con**cern**
con**demn**
con**di**tion
conference
con**firm**
con**gra**tulate
congress

con**nect**
con**ser**vative
con**si**derr
con**tain**
continent
con**tin**ue
con**trol**
con**ven**tion
cook
cool
co**o**perate
copy
cork
corn
cor**rect**
cost
cotton
count
country
court
cover
cow
crash
cre**ate**
creature
credit
crew
crime
criminal
crisis
criticize
crush
cry
culture
cup
cure
current
curtain
custom
cut
damage
dance
danger
dark

date
daughter
day
dead
deaf
deal
dear
de**ba**te
debt
de**ci**de
de**clare**
de**crease**
deep
de**feat**
de**fend**
deficit
de**fine**
de**gree**
de**lay**
delicate
de**mand**
de**mo**cracy
demonstrate
de**nounce**
deny
de**pend**
de**ploy**
de**pre**ssion
des**cri**be
de**sert**
de**sign**
de**sire**
des**troy**
detail
develop
de**vi**ce
dic**ta**tor
die
diet
different
dig
dinner
diplomat
di**rect**

di**rec**tion
dirt
disap**pear**
dis**arm**
dis**co**ver
dis**cuss**
dis**ease**
disk
dis**miss**
dis**pute**
dissident
distance
di**vi**de
do
doctor
document
dog
dollar
door
doubt
down
drain
dream
dress
drink
drive
drop
drug
dry
during
dust
duty
each
ear
early
earn
earth
ease
east
ea**sy**
eat
ecology
economy
edge

edu**ca**tion
eff**ec**t
effort
egg
eight
either
el**as**tic
electr**ic**ity
el**ev**en
else
embassy
e**mer**gency
e**mo**tion
empl**oy**
empty
end
enemy
energy
en**for**ce
engine
engin**eer**
en**joy**
en**ough**
enter
en**vi**ronment
equal
e**qui**pment
es**cap**e
es**pe**cially
es**ta**blish
estimate
ethnic
e**va**porate
even
ev**ent**
ever
every
evidence
evil
e**xa**mine
ex**am**ple
excellent
ex**cept**
ex**chan**ge

ex**cuse**
exe**cute**
exercise
exile
exist
exp**and**
exp**ect**
ex**pe**rience
ex**pe**riment
expert
ex**plain**
ex**plo**de
ex**plo**re
ex**port**
ex**press**
ex**tend**
extra
ex**trem**e
eye
face
fact
factory
fail
fair
fall
false
family
famous
far
fast
fat
father
fear
feather
feed
feel
female
fertile
few
field
fierce
fifteen
fifth
fifty

fight
fill
film
final
fin**an**ce
find
fine
finger
finish
fire
firm
first
fish
fist
fit
five
fix
flag
flat
float
floor
flow
flower
fl**u**id
fly
fog
follow
food
fool
foolish
foot
for
for**bid**
force
foreign
forest
for**get**
for**give**
form
former
forty
forward
four
frame

free
fr**ee**dom
freeze
fresh
friend
frighten
from
front
fruit
fuel
full
fun
future
gain
game
garden
gas
gather
general
get
gift
girl
give
glass
go
goal
god
gold
good
govern
government
grass
great
green
grey
ground
group
grow
guarantee
guard
guide
gui**l**ty
gun
hair

half
halt
hand
hang
happen
happy
hard
harmony
hat
hate
have
he
head
headquarters
heal
health
healthy
hear
heart
heat
heavy
helicopter
help
her
here
hers
hide
high
hijack
hill
him
his
history
hit
hold
hole
holiday
hollow
holy
home
honest
honor
hope
horrible

horse
hospital
hostage
hostile
hot
hotel
hour
house
how ?
however
huge
human
humor
hundred
hunger
hunt
hurry
hurt
husband
I
ice
id**e**a
i**den**tify
if
ill
il**leg**al
im**ag**ine
im**me**diate
im**port**
im**por**tant
im**pro**ve
in
incident
in**clu**de
increase
indep**en**dent
indi**vi**dual
industry
in**fect**
in**fla**tion
influence
in**for**m
infor**ma**tion
inj**ect**

injure
innocent
ins**ane**
ins**pect**
inst**ead**
instrument
insult
insurance
in**tel**ligence
int**ense**
interest
inter**fere**
inter**na**tional
into
inv**a**de
inv**ent**
in**vest**
in**ves**tigate
inv**i**te
invol**ve**
iron
island
issue
it
jacket
jail
jewel
job
join
joint
joke
judge
jump
jury
just
keep
key
kick
kill
kind
kiss
kit
kn**i**fe
know

k**now**ledge
labor
la**bo**ratory
lack
lake
land
language
large
last
late
laugh
law
lead
leak
learn
leave
left
leg
legal
lend
less
letter
level
library
lie
life
lift
light
like
limit
line
link
lip
liquid
list
listen
little
live
load
loan
local
lock
long
look

loose
lose
loud
love
low
loyal
luck
ma**chine**
maga**zine**
mail
main
ma**jo**rity
make
male
man
manu**fac**ture
many
map
march
mark
market
marry
match
ma**te**rial
matter
may
mayor
meal
mean
measure
meat
media
medicine
meet
member
memory
mental
mercy
message
metal
method
middle
might
military

milk
million
mind
mine
minister
minor
minute
miss
mist
mis**take**
mix
mob
model
moderate
modern
money
month
moon
moral
more
morning
most
mother
mountain
mouth
move
movie
much
murder
muscle
music
must
my
mystery
nail
name
narrow
nation
native
natural
navy
near
necessary
neck

neither
nerve
neutral
never
new
news
next
nice
night
nine
ninth
no
noise
nominate
noon
normal
north
nose
not
note
nothing
now
nowhere
nuclear
number
o**bey**
object
observe
occupy
ocean
of
off
of**fen**sive
offer
office
officer
of**fi**cial
often
oil
old
on
once
one
only

open
operate
o**pi**nion
opposite
opp**res**s
or
orange
order
organize
other
our
ours
oust
out
over
owe
own
page
pain
paint
pan
pants
paper
pa**ra**de
parallel
parcel
parent
parliament
part
party
pass
passenger
passport
past
paste
path
patient
pay
peace
pen
pencil
people
per**cent**
perfect

per**form**
period
permanent
per**mit**
person
physical
picture
piece
pig
pilot
pipe
place
plan
plant
pl**as**tic
plate
play
please
pl**en**ty
pocket
point
poison
po**lice**
policy
politics
pollute
poor
popular
popu**la**tion
port
po**si**tion
poss**ess**
possible
post**pone**
po**ta**to
pour
powder
power
praise
pray
pregnant
present
president
press

pressure
pre**vent**
price
print
prison
private
prize
probable
problem
process
pro**du**ce
pro**fes**sor
p**ro**fit
program
prog**res**s
project
property
pro**po**se
pro**tect**
protest
prove
pro**vide**
public
publish
pull
punish
purchase
pure
purpose
push
put
quality
question
quick
quiet
quit
race
radar
radi**a**tion
radio
raid
rail
rain
raise

rare
rate
ray
reach
react
read
ready
real
rea**lis**tic
reason
rec**ei**ve
re**ces**sion
recognize
record
re**co**ver
red
re**du**ce
refu**gee**
refuse
reg**ret**
re**ject**
rel**a**tion
rel**ea**se
re**li**gion
rem**ain**
re**mem**ber
rem**ove**
re**pair**
rep**eat**
rep**ort**
represent
re**quest**
re**qui**re
rescue
re**sear**ch
re**sign**
re**sist**
reso**lu**tion
re**sour**ce
re**spect**
res**pon**sible
rest
rest**rain**
re**sult**

re**tire**
re**tur**n
rev**ol**t
rew**ard**
rice
rich
ride
right
riot
rise
risk
river
road
rob
rock
rocket
roll
roof
room
root
rope
rough
round
rubber
ruin
rule
run
sabotage
sacrifice
sad
safe
sail
salt
same
sand
satellite
satisfy
save
say
scale
school
science
search
season

seat
second
secret
security
seek
seem
seize
seldom
self
sell
senate
send
sense
sentence
separate
series
serious
serve
set
settle
seven
several
se**ve**re
sex
shade
shake
shall
shame
shape
share
sharp
she
shelf
shell
shelter
shine
ship
shirt
shock
shoe
shoot
short
should
shout

show
shrink
shut
sick
side
sign
signal
silence
silk
silver
similar
simple
since
sing
single
sister
sit
sit**ua**tion
six
size
skeleton
skill
skin
skirt
sky
slave
sleep
slide
slip
slow
small
smash
smell
smile
smoke
smooth
snake
sneeze
snow
so
soap
social
so**cie**ty
soft

soil
soldier
solid
solve
some
son
soon
sort
soul
sound
south
space
special
speech
speed
spend
spirit
sport
spread
spring
spy
square
stand
star
start
starve
station
statue
stay
steal
steam
steel
step
stick
still
stomach
stone
stop
store
storm
story
straight
strange
street

stretch
strike
strong
st**ruc**ture
st**rugg**le
study
stupid
subject
substance
substitute
succeed
such
sudden
suffer
sugar
suggest
summer
sun
supervise
supply
support
suppose
suppress
sure
surface
sur**pri**se
sur**ren**der
sur**ound**d
sur**vi**ve
sus**pect**
sus**pen**d
swallow
swear
sweet
swim
sympathy
system
table
tail
take
talk
tall
target
taste

tax
tea
teach
team
tear
technical
tech**no**logy
telephone
television
tell
ten
term
terrible
territory
terror
test
than
thank
that
the
th**e**ater
their
theirs
them
then
theory
there
these
they
thick
thin
thing
think
third
thirteen
thirty
this
though
thought
th**ou**sand

threaten
three
through
throw
tie
tight
time
tin
tired
to
today
to**ge**ther
to**mo**rrow
tongue
tonight
too
tool
tooth
top
torture
total
touch
toward
town
trade
tra**di**tion
traffic
train
transport
t**ra**vel
treason
treasure
treat
treatment
treaty
tree
trial
tribe
trick
trip

troop
t**rou**ble
truck
true
trust
try
tube
turn
twelve
twenty
twice
two
under
under**stan**d
un**i**te
universe
uni**ver**sity
un**less**
un**til**
up
urge
urgent
us
use
usual
valley
value
vegetable
vehicle
version
very
veto
vicious
victim
victory
village
violate
violence
visit
voice

vote
wage
wait
walk
wall
want
war
warm
warn
wash
waste
watch
water
wave
way
we
weak
wealth
weapon
wear
weather
week
weight
welcome
well
west
wet
what
wheat
wheel
when
where
which
while
white
who
whole
why
wide
wife

wild
will
win
wind
window
wine
wing
winter
wire
wise
wish
with
withdraw
with**out**
woman
wonder
wonderful
wood
wool
word
work
world
worry
worse
worth
wound
wreck
write
wrong
year
yellow
yes
yesterday
yet
you
young
your
yours
zero

Épilogue

N'oubliez pas de prendre plaisir à communiquer en globish, d'éprouver la récréation intellectuelle, musculaire et physique que vous procurera le fait d'émettre des sons nouveaux pour vous, de dire des mots ignorés hier encore, et de comprendre les autres. Tout comme faire l'amour, s'exprimer en globish est une activité dont la performance dépend pour moitié du cérébral, et pour moitié du physique. Il en va de même de la création, comme de la perception de la beauté, de la musique, de la peinture, de la cuisine. Comprendre y aide, pratiquer est essentiel, mais y trouver du plaisir, sans inhibition et sans complexe, est le but ultime, et le meilleur moyen d'y parvenir sans défaillance. Nous espérons que ce livre vous aura aidé sur ce chemin vers un objectif accessible parce que délibérément allégé.